VillA Alfabet

Zullen we ruilen?

Kolet Janssen

educatieve
uitgeverij
Maretak

VillA Alfabet is een leesserie voor de betere lezer van groep 3 tot en met groep 8.
VillA Alfabet groen is bestemd voor lezers vanaf groep 5.
Een VillA Alfabetboek biedt de goede lezer een uitdagende lees-ervaring en verdiept deze ervaring door het extra materiaal dat in het boek is opgenomen. Daarnaast is bij elk boek materiaal ont-wikkeld dat in een aparte uitgave is verschenen: 'VillA Verdieping'.

© 2003 Educatieve uitgeverij Maretak, Postbus 80, 9400 AB Assen
Tweede druk, 2007

Illustraties: Mark Janssen
Tekst blz. 6 en blz. 92-93, 95: Cees Hereijgens en Ed Koekebacker
Vormgeving: Cascade visuele communicatie, Amsterdam / Studio Huis, Amsterdam
ISBN 978-90-437-0162-4
NUR 140/282
AVI 7

Inhoud

*(Als je ♟ tegenkomt, ga dan naar bladzij 95.
En als je het boek uit hebt, kom dan op bezoek in VillA
Alfabet, op bladzij 92-94.)*

Je denkt vast wel eens: was ik maar kind in een ander gezin. Tessa en Marte doen het! Ze ruilen van gezin.
Maar dan gebeurt er iets ernstigs. Bij welke familie willen ze echt horen?

1 Kung Fu Wu Shu

'De stoep is niet alleen van jou!' roept Marte luid. Ze duwt
met haar stevige schouders tegen Arno's rug. Die staat
met zijn vrienden te kletsen voor de snoepwinkel. Met
hun fietsen versperren ze de weg.
'Van jou ook niet!' antwoordt Arno.
Maar Marte hoort het al niet meer. Ze trekt haar zusje aan
één hand mee en kijkt naar Tessa, die samen met haar uit
school naar huis loopt, zoals elke dag. Tessa buigt haar
hoofd en stapt van de stoep af. Ze maakt liever een
ommetje dan met Arno en zijn vrienden in de clinch te
gaan.
Haar lange, blonde haren vallen als een gordijn naar
beneden. Wat ze daarachter denkt, kan zelfs Marte niet
altijd zien.
'Kom je nog even mee?' vraagt Marte.
Tessa schudt haar hoofd. 'Nee, ik begin liever meteen aan
die opdracht over het schrift,' zegt ze. 'Meester Jan over-

drijft weer, zoveel werk en het moet overmorgen al klaar zijn!'

Marte haalt haar schouders op. 'Is toch best leuk, een eigen spijkerschrift ontwerpen. Kunnen we eindelijk ons eigen geheimschrift hebben, lijkt je dat niks? Dan schrijf ik jou brieven die niemand kan lezen!'

'Jij belt altijd gewoon op,' zegt Tessa, 'dat gaat sneller. Geheimschrift is ontzettend veel werk. Je moet er veel geduld voor hebben.'

'Dan is het niks voor mij,' geeft Marte toe. 'Schiet eens op, Janna!' Haar zusje blijft staan en begint op één been haar schoen uit te trekken.

'Er zit een steentje in mijn schoen,' klaagt Janna. Ze gaat op haar schooltas zitten en wurmt de schoen van haar voet. Daarna houdt ze hem ondersteboven en schudt hem uitvoerig heen en weer. Een piepklein steentje rolt in de goot. 'Ziezo!' zegt Janna tevreden.

Tessa knielt neer om Janna's veters opnieuw te strikken. 'Dat kan ze best zelf!' protesteert Marte.

'Tessa kan het sneller,' zegt Janna.

Tessa springt op. 'Zo!' zegt ze. Ze geeft Janna een hand. Best leuk, zo'n klein zusje. Ze wou dat ze er zelf één had, in plaats van die twee stomme broers van haar. Maar zoiets kun je helaas niet kiezen.

Op het kruispunt moet Tessa linksaf en Marte en Janna rechtsaf.

'Kom je straks nog?' vraagt Marte.

'Ik zie wel,' zegt Tessa. Ze slentert verder. Dat stomme spijkerschrift ook, ze heeft er echt geen zin in.

Op de mat bij de voordeur liggen de schooltassen van Dennis en Marijn. Halverwege de gang ligt de jas van Dennis, op de trap die van Marijn.

Tessa hoort hun stemmen boven bij de computer. Zou Marijn vandaag de race gewonnen hebben? Die jongens doen een moord om het eerst bij de computer te zijn.

Tessa schenkt een glas appelsap in en haalt de brievenbus leeg. Dat vindt ze leuk, ze is altijd nieuwsgierig naar de post. Jammer genoeg is er meestal niets voor haar bij.

Ditmaal staat haar naam op een brief met een groen logo, dat ze niet kent.

'Kung Fu Wu Shu' staat er als afzender.

Met haar vinger scheurt ze de envelop open. Het is een gedrukte brief, dus geen echte. Zo'n brief die hetzelfde is voor iedereen, waarbij ze alleen de naam persoonlijk invullen.

Daar trapt ze al lang niet meer in.

Dag Tessa,
Bedankt voor je inschrijving voor onze lessenreeks judo voor starters.
De eerste les is woensdag van 14u tot 15u in het Sportcentrum, zaal 3.
Daar krijg je alle verdere informatie.
Tot dan!

Tessa draait de brief om, maar de achterkant is leeg. Wat is dit voor iets raars? Zij heeft zich toch helemaal niet ingeschreven voor judoles? Gaan ze nu al zo ver met reclamemaken dat ze van dit soort brieven schrijven? Nou, daar gaat ze dus mooi niet heen. Ze zal daar gek zijn. Papa en mama zeuren al jaren aan haar hoofd dat ze eens wat aan sport moet gaan doen. Maar daar heeft ze absoluut geen zin in. Op school duren de gymlessen al veel te lang voor haar. Ze snapt niet wat er zo leuk is aan hollen en zweten, want dat schijnt er altijd bij te horen. Kan zij het helpen dat ze meer van rustige dingen houdt? Van spelen op haar dwarsfluit, van lezen en tekenen? Ze loopt met de brief naar de doos waarin ze het oud papier bewaren, maar dan opeens flitst er een gedachte door haar hoofd. Stel je voor dat papa en mama haar hebben ingeschreven voor judo? Ze leest de brief opnieuw, maar ze wordt er niet wijzer van. Zouden ze dat durven, zonder het haar te vragen? Tessa aarzelt. Ze kan de brief natuurlijk toch gewoon weggooien, en achteraf zeggen dat ze dacht dat het een misverstand was. Maar bij de gedachte dat papa en mama haar misschien stiekem hebben ingeschreven, wordt ze zo boos, dat ze het echt wel wil weten. Daarom laat ze de brief op tafel liggen.

Op haar kamer tekent ze een prachtig spijkerschrift. Voor elke letter van het alfabet een ander tekeningetje. Terwijl ze bezig is, krijgt ze er nog zin in ook. Voor ze het weet, rinkelt mama de bel voor het eten. Ze heeft haar ouders niet eens horen thuiskomen.

Mm, lekker, wortelpuree met worst. Tessa schept haar bord vol en maakt een kuiltje voor de jus. Naast haar zitten Dennis en Marijn al te schrokken.

'Heb je gezien dat er een brief is voor jou?' vraagt papa. Hij heeft zijn jasje uitgetrokken en zijn das hangt over de televisie. Voor de rest ziet hij er nog keurig uit. Mama nu ook, maar ze trekt meestal meteen haar mantelpakje uit en haar joggingpak aan als ze thuiskomt. De bank waar ze allebei werken, wil dat ze netjes gekleed gaan. Tessa vindt het erg stijf. Ze knikt met haar mond vol, natuurlijk heeft ze de brief gezien. Papa is blijkbaar niet verwonderd

over die brief. Tessa gluurt naar mama. Die kijkt iets te
onschuldig naar haar bord. Die gluiperds hebben haar
echt ingeschreven!
Ze speelt het cool. 'Het moet een misverstand zijn,' zegt
ze, 'ik ga natuurlijk niet naar judo.'
'Waarom niet?' lacht Marijn. 'Je hebt toch een mooie bad-
jas?'
Tessa geeft hem een schop onder tafel, maar hij geeft
geen kik.
Papa schraapt zijn keel en woelt door zijn haar. Dat doet
hij altijd als hij iets moeilijks moet zeggen. 'Eh, mama en

ik dachten dat het geen slecht idee was voor jou, die judo. Het is toch een heel rustige sport...'

Mama knikt. 'Je kunt het helemaal in je eigen tempo doen. En je moet er goed je hersens bij gebruiken! Echt iets voor jou, vonden wij.' Ze slaat haar ogen neer en schept haar vork vol.

Tessa voelt de woede in haar buik groeien als een ballon die opgeblazen wordt. Ze laat haar vork op tafel vallen. De wortelpuree smaakt opeens naar nat papier.

'Ik dacht dat ik zelf mocht kiezen wat ik in mijn vrije tijd doe,' roept ze uit. 'En ik wil niet naar judo! Ik vind het achterbaks en gemeen dat jullie mij achter mijn rug hebben ingeschreven!'

Papa begint aan een van zijn opvoedkundige toespraken. Over hoe belangrijk het is om je gezondheid van jongs af aan goed te verzorgen. Dat de conditie van jongeren er volgens specialisten zienderogen op achteruitgaat. Dat Tessa hem later dankbaar zal zijn voor dit duwtje in de rug. Dat judo ook heel goed is omdat meisjes zich ermee leren verdedigen en je weet nooit wanneer dat nog van pas komt. Tessa schakelt haar luisterknop uit en concentreert zich op haar bord. Ze verdeelt het eten in zes gelijke porties die ze op haar vork schuift en in haar mond propt. Ze gaat niet naar judo. Dan kan ze net zo goed mee naar voetbal met Marte. Die is daar gek op en heeft haar al vaak gevraagd of ze niet meedoet. Nee dus. En ook geen judo.

'Je kunt het toch minstens wel een les proberen,' dringt mama aan, 'dan kun je zelf zien hoe leuk het is. Het is echt niet zoals jij denkt.'

'Mama,' zegt Tessa, terwijl ze voorover leunt en haar moeder recht in de ogen kijkt, 'ik heb geen zin in judo. Punt uit.'

Dennis trekt een droogdoek van het rek en rolt er een lange worst van. 'De rood-wit geruite band!' schreeuwt hij. Marijn pakt de droogdoek beet en rukt Dennis dichterbij. Samen geven ze een heel geloofwaardige judovoorstelling. Ze rollen over de grond tot Dennis' stoel omvalt.

'Ophouden, jongens!' zegt papa. Hijgend komen ze weer aan tafel zitten, waarop mama net een schaal vruchtenyoghurt neerzet.

Tessa eet. Waarom kunnen ze haar niet met rust laten? Iedereen hoeft toch niet van sport te houden? Ze zwijgt, al sputteren de woorden vanbinnen door elkaar. Maar ze klemt haar tanden om haar lepel en zegt niets. ∎

2 Ruilen?

Na het eten loopt Tessa naar Marte. Ze moet het aan iemand kunnen vertellen, van dat judo. Marte woont op een hoek en je loopt zo bij haar achterom. Dat doet haast iedereen. 'Alleen mensen die geld moeten hebben, komen bij ons aan de voordeur,' zegt Martes moeder soms. Maar er komen ook wel eens patiënten van Martes vader als de groepspraktijk niet open is.

Tessa klopt op de keukendeur en gaat naar binnen als Martes moeder door het raam zwaait. Martes moeder is vaak thuis. Ze werkt alleen een paar ochtenden als vrijwilligster bij een derdewereldorganisatie. Ze maakt zelf kaarsen en bakt koekjes. Tessa is daar soms best jaloers op.

'Hoi, Tessa,' zegt Martes moeder, 'lang geleden dat ik je gezien heb. Wil je een stuk cake?'

Tessa mompelt iets over net gegeten en beent de trap op naar Martes kamer. Door de deur naar de woonkamer ziet ze Janna tv-kijken.

Marte oefent met een koptelefoon op haar hoofd sit-ups
op het kleedje naast haar bed. Ze hoort Tessa niet binnenkomen. Pas als Tessa vlak voor haar gaat staan en
gekke gezichten trekt, krabbelt ze lachend overeind.

Tessa laat zich op Martes bed zakken. 'Je raadt nooit wat
er nu gebeurd is,' zegt ze. Marte kijkt haar vragend aan.
'Mijn ouders hebben me ingeschreven voor judoles!'

Het lijkt Marte best leuk. Ze wilde dat haar ouders haar
eens op die manier verrasten. Maar ze weet wel hoe haar
vriendin over sport denkt. 'En jij vindt dat geen goed
idee?' vraagt ze.

'Geen goed idee?' barst Tessa los. 'Ik vind het afschuwe-
lijk! Ze weten best dat ik sport haat. Waarom proberen ze
me altijd dingen te laten doen waar ik geen zin in heb?'

'Dat is typisch voor ouders,' meent Marte.

'Voor de mijne dan toch,' zucht Tessa.

'Die van mij doen het ook, hoor,' vertelt Marte. 'Daarstraks
bedachten ze dat ik best naar tekenles kon gaan. Dat was
goed voor mijn fijne motoriek en dan zou ik eindelijk
eens wat netter gaan schrijven. Dat heb ik dus mooi
geweigerd!'

'Die van jou vrágen het tenminste nog,' zegt Tessa. 'Ik
kreeg gewoon een brief van de judoclub waarvoor ze me
stiekem hadden ingeschreven.'

Marte giechelt. 'We hebben de verkeerde ouders, jij en ik. Jij zou die tekenles best leuk vinden, en ik zou met plezier naar judoles gaan. Kunnen we niet ruilen?'

Tessa staart haar aan. 'Je hebt gelijk,' zegt ze.

Ze laat haar vingers glijden over Martes donsdek met afbeeldingen van voetballen erop. Haar ouders zouden Marte een prima dochter vinden met haar stevige bouw en haar stekeltjeshaar. Helemaal niet zo meisjesachtig flauw als zij...

Marte springt op. 'Mijn ouders zouden jouw schoolcijfers het einde vinden. Ik heb net nog een hele preek moeten horen omdat ik weer een zesje had. Kind, we moeten echt ruilen! Dat is de oplossing voor al onze problemen!'

Tessa kijkt naar Marte. Normaal tempert zij de wilde ideeën van haar vriendin. Maar ditmaal zijn haar ouders te ver gegaan. Ze moeten dringend een lesje krijgen. Het is tijd om iets radicaals te doen. Ze leunt voorover: 'Hoe kunnen we dat aanpakken?' vraagt ze.

Martes ogen schitteren. 'Jij blijft straks hier en ik ga naar jouw huis. We zeggen gewoon dat we al dat gezeur beu zijn en dat dit een betere combinatie lijkt. Dat is toch ook zo?'

Tessa aarzelt nog. Wat zullen haar ouders zeggen? En zullen Martes ouders haar wel willen?

'Janna vindt jou het einde,' zegt Marte, 'jij bent veel liever voor haar dan ik.'

Tessa slaat een arm om Marte heen. Die is soms zo pijnlijk eerlijk. 'Aan mijn broers zul je niet veel lol beleven,' waarschuwt ze, 'dat zijn gewoon twee ettertjes. Niets zo erg als tweelingbroers die altijd tegen je samenspannen.'

'Die krijg ik wel klein.' Marte wuift met haar hand. 'Kom, we gaan alles goed afspreken...'

Een halfuur later lopen Marte en Tessa de trap af. Marte trekt haar jas aan. Haar moeder komt net de gang in. 'Waar ga jij nog heen?' vraagt ze.

'Ik ga bij Tessa's ouders wonen,' zegt Marte. Ze trekt haar
rits dicht. 'Tessa blijft hier, dat past veel beter bij wat jullie van ons verwachten.'
Tessa staat er verlegen glimlachend bij.
Martes moeder kijkt met grote ogen van de een naar de
ander. 'Dat kun je toch niet zomaar doen,' zegt ze.
Marte geeft haar lachend een zoen. 'Je ziet me heus nog
wel, hoor, we blijven immers vriendinnen, Tessa en ik. En
Janna zal het geweldig vinden.' Ze zwaait nog even en
loopt de deur uit.
Tessa gaat de woonkamer binnen. Janna zit zich een
beetje te vervelen. Ze leeft zichtbaar op als ze Tessa ziet.
'Tessa!' zegt ze. 'Blijf je bij ons slapen vannacht?'
'Ik blijf hier wonen,' zegt Tessa, 'Marte en ik hebben
geruild.' Ze vindt het niet gemakkelijk om dat te zeggen.
Even kijkt Janna haar aan zonder iets te zeggen. Dan
straalt ze. 'Super! Doe je een spelletje met mij?'
Tessa wil wel. Als ze even later gezellig samen zitten te
mens-erger-je-nieten, hoort ze Martes ouders in de gang
tegen elkaar praten. Als ze de woonkamer binnenkomen
en naar haar kijken, doet ze net alsof ze hen niet ziet. ♟

3 Stekelhoofd met bloemen

Marte steekt Tessa's sleutel in het slot en duwt de voor-deur open. 'Joehoe, Tessa, ben je daar eindelijk?' roept Tessa's moeder ergens van boven. 'Papa is nog naar een klant, en ik ga zo meteen naar de vergadering van het buurtcomité. Je hebt het nummer van mijn mobieltje, als er iets is, oké?' Ze loopt met snelle stappen de trap af met in haar handen een map en een stapel vuile was. 'O, ben jij het Marte! Waar is Tessa? Ze weet toch dat ze thuis moet zijn voordat ik wegga.' Ze propt de vuile was in een mand en loopt naar de kapstok.
'Tessa komt niet,' zegt Marte.
'Blijft ze bij jou logeren?' vraagt Tessa's moeder.
'Nee,' zegt Marte, 'ik kom nu hier wonen en zij woont in mijn huis. We hebben geruild.' Ze zet het tasje met haar pyjama aan de voet van de trap. Morgen gaan ze elkaars kleren ophalen, maar Marte heeft geen zin om in een van Tessa's roze nachtjaponnen te slapen. Dat is niets voor haar.

Tessa's moeder blijft staan met één arm in de mouw van haar jas. 'Wat zeg je daar?' vraagt ze. 'Waarom dan?' Ze slaat haar hand voor haar mond. 'Toch niet om die judoles?'

'Onder andere,' antwoordt Marte, 'maar dat niet alleen. We denken dat het zo beter klopt, dat ik beter hier pas en zij beter bij mijn ouders.'

Tessa's moeder komt dichterbij. 'Maar Marte, jij bent onze dochter niet! Ik bedoel... ik vind je echt heel lief en zo, maar je bent ons kind niet en Tessa wel.'

Dat hadden jullie dan wel wat eerder kunnen bedenken, denkt Marte, maar ze zegt het niet. Ze blijft gewoon staan.

Tessa's moeder strijkt door haar haren. Ze zucht. Dan trekt ze haar jas verder aan. 'Luister, we moeten hier verder over praten, maar nu heb ik geen tijd, en mijn man is er niet. Je moet vannacht maar hier blijven dan. Weten je ouders er ook van?'

Marte knikt. Gelukkig vraagt ze niet wat die ervan vinden. 'De jongens zijn boven op zolder. Ze spelen tafeltennis, geloof ik,' zegt Tessa's moeder.

'Leuk,' zegt Marte, 'dan ga ik daar ook eens kijken.' Ze klimt de trap op.

Tessa's moeder blijft aarzelend beneden staan. 'Om half-

tien moeten jullie naar bed,' zegt ze. Maar haar stem
klinkt zachter dan normaal.

Het is al over tienen als Hanneke, Tessa's moeder, weer
thuiskomt. Ze vindt haar man Gerrit in de woonkamer,
waar hij met een biertje voor de tv zit. Hanneke laat zich
op de bank vallen en schopt haar schoenen uit. 'Ik wil
ook een biertje,' kreunt ze.
'Was het zo erg?' vraagt haar man.
'Op de vergadering viel het best mee,' zegt ze, 'maar hier-
boven...'
'Ik heb niets gehoord,' zegt haar man verwonderd. 'Ze slie-
pen al toen ik thuiskwam, zo rustig als schaapjes.'
'Je bent zeker niet gaan kijken welke schaapjes er in de
bedden liggen?' vraagt ze.
'Hoe bedoel je?' vraagt Gerrit.
Hanneke zucht en gaat overeind zitten. 'Tessa is er niet.
Ze heeft geruild met haar vriendin Marte.'
'Wat geruild?' fronst Gerrit. Tessa's vader snapt er niets
van.
'Haar gezin,' zegt Hanneke, 'ons dus. Marte woont nu hier
en Tessa daar, dat leek hen beter te passen.'
'Bedoel je, dat Marte nu onze dochter is en Tessa die van
hen?' vraagt Gerrit verbaasd. 'En wat vinden die ouders

daar dan van? Vinden die zoiets normaal?'

'Dat weet ik niet,' zegt Hanneke, 'maar het is nu te laat om nog te bellen. En misschien hebben ze er morgen al genoeg van, dan is het probleem vanzelf opgelost.'

Tessa's vader krabt in zijn haren. 'Denk je dat we Tessa te veel aan haar hoofd hebben gezeurd met dat judo?' vraagt hij. 'Ze had er echt geen zin in. Misschien hadden we niet zoveel druk op haar moeten zetten. Al vind ik wel dat ze toch een beetje aan sport zou mogen doen.'

'Het is niet alleen dat judo,' meent Hanneke. 'Tessa is altijd met heel andere dingen bezig dan Marijn en Dennis, en ook dan wij. Die muziek van haar en dat tekenen, dat zijn allemaal dingen die hier verder niemand doet. Ze is echt wel een beetje anders dan wij.'

'Maar daar maken we toch geen probleem van?' zegt Gerrit.

Hanneke snuift. 'Dat moet jij nodig zeggen! Wie wilde haar per se inschrijven voor die judoclub? Ik vond het meteen al niet zo'n goed idee om dat achter haar rug te doen!'

'Jij vindt toch ook dat ze meer aan sport moet doen,' zegt Gerrit.

'Maar niet op die manier,' zegt Hanneke, 'je ziet wat er nu gebeurt. Dit is toch ook geen oplossing!'

'Laten we er eerst maar eens een nachtje over slapen,' besluit Gerrit.

Hanneke doet de lichten uit en loopt de trap op. Bij de deur van Tessa's kamer blijven ze allebei even staan. Door de kier zien ze Marte in bed liggen. Haar stekeltjeshoofd past niet echt bij het bloemetjesdonsdek. Zonder iets te zeggen, loopt Hanneke naar de badkamer. ∩

4 Inpakken en wegwezen

Tessa staat al op het schoolplein als Marte eraan komt.
'Hier is je tas,' lacht Marte. Ze ruilen. 'Hoe ging het?'
Tessa haalt haar schouders op. 'Wel goed,' zegt ze, 'lekker
rustig vanmorgen aan tafel. Je vader lag nog in bed, die
moest er vannacht uit. En je moeder heeft mij een fantas-
tisch lunchpakket meegegeven, met worstjes en stukjes
komkommer.'
Marte knikt. Zij heeft vanmorgen zelf haar boterhammen
moeten smeren. Daarom was ze bijna te laat. En Dennis
en Marijn hadden aan tafel behoorlijk zitten klieren.
'Je vader heeft een briefje voor jou meegegeven,' zegt
Marte, 'hier is het.'
Tessa vouwt het open. Een briefje van het blok waar
mama haar boodschappenlijstjes op maakt. Ze kan zich al
voorstellen hoe hij het geschreven heeft, met in één hand
een boterham en zijn blik op de klok. 'Lieve Tessa,' staat
er, 'je hoeft niet naar judo als je echt niet wilt. Kom maar
weer gewoon naar huis. Kus, papa.'

Marte kijkt haar vragend aan. 'Wat zullen we doen?' Voor
haar hoeft het niet echt meer.

Maar Tessa's hoofd gaat met een ruk omhoog. 'Zo makkelijk komen ze er niet af,' zegt ze. 'Ze moeten ophouden mij
voor alles en nog wat aan mijn kop te zeuren. Dat is bij
jou toch ook zo?'

Marte knikt.

'We gaan gewoon door,' zegt Tessa. 'Laat ze maar eens
goed voelen wat ze gedaan hebben. Ze moeten ons eerst
echt gaan missen, dan pas gaan we terug.'

De schoolbel rinkelt en ze gaan naar de klas. Bij de kleu-
ters ziet Marte haar zusje op en neer huppelen. Ze kijkt
niet eens naar haar.

Na school gaan ze samen eerst naar Tessa's huis. Daar
haalt Tessa haar spullen op: kleren, haar knuffel, haar
dwarsfluit. Marte helpt haar verhuizen. Bij Martes huis
bellen ze aan. Marte heeft geen sleutel, omdat haar moeder meestal thuis is.

'Hé jongens, hebben jullie er nog niet genoeg van?' vraagt
Martes moeder. 'Het was leuk voor een nachtje, maar nu
kunnen jullie beter weer gewoon doen.'

Ze hebben afgesproken om er niet op in te gaan en daarom lopen ze gewoon naar boven. Daar pakt Marte haar

spullen: ook kleren, een paar cd's, haar voetbalschoenen. Janna staat bij de kamerdeur toe te kijken. Tessa helpt haar alles in een tas te proppen. Ze legt haar eigen spullen in Martes kast. Marte kijkt nog even rond in haar oude kamer en dan gaat ze maar weer. Naar het huis van Tessa, waar haar 'broertjes' achter de computer zitten en er niemand is om mee te praten. Maar gelukkig ook niemand die vraagt hoe haar rekentoets was, waarvoor ze weer maar een zes heeft gehaald. Ze maakt braaf haar huiswerk. Als de bel voor het avondeten klinkt, gaat ze samen met de jongens naar beneden. Ha lekker, Tessa's moeder heeft worstjes gebakken en een blik appelmoes op tafel gezet. Haar vader heeft friet gehaald bij de kraam op het plein. Bij haar thuis eten ze altijd gezond, maar dit is veel lekkerder.

Na het eten belt Gerrit naar Ellen, de moeder van Marte. 'We moeten eens praten, geloof ik,' zegt hij, 'onze kinderen hebben een probleem.'
Ellen is het ermee eens. 'Kom vanavond naar hier,' zegt ze. 'Als Daan klaar is met zijn spreekuur, kunnen we eens overleggen, want zo kan het toch ook niet blijven duren.'
Gerrit is het roerend met haar eens. 'Maar vanavond kunnen we niet,' zegt hij. 'Hanneke heeft haar fitness-avond

en ik moet dringend een rapport schrijven voor mijn werk. Morgen misschien?'

Dat is goed. Ze spreken af om het verder zolang aan te zien. 'Tot morgen dan,' besluit Gerrit. 'Tenzij het voor die tijd alweer is opgelost, kinderen veranderen zo snel van mening!'

Dat hoort Marte nog net als ze door de gang naar de wc loopt. Ze grijnst. 'Dat had je gewild!' mompelt ze. Die stomme ouders hebben nog steeds niet door dat ze gewoon te ver zijn gegaan. Die denken dat je kinderen naar je hand kunt zetten als een kamerplant. Hola, die tak is te lang, daar knippen we een stukje af. Een beetje meststof geven en dan gaat-ie wel bloeien. Elke drie dagen een geutje water. Dorre blaadjes plukken we weg. En als het dan nog niet lukt, gaat-ie de deur uit en kopen we een nieuwe.

Marte pakt haar voetbalspullen en loopt naar de voordeur.

'Waar ga je naartoe?' vraagt Hanneke.

'Voetbaltraining,' zegt Marte. Ze vraagt niet of het goed is. Ze zoeken het maar uit.

Net als ze de deur wil dichttrekken, steekt Marijn zijn voet ertussen. 'Mag ik mee?' vraagt hij.

Marte aarzelt. 'Waarom?' vraagt ze.

Marijn lacht. 'Ik wil het wel eens zien, dat slome meidenvoetbal,' zegt hij. 'En Dennis zit op de computer.'

Marte knikt. 'Kom maar mee.'

Ze fietsen erheen, zij op de fiets van Tessa, Marijn op zijn eigen fiets. Het stuur van Tessa staat te laag, maar ze zegt er niets van. Straks zal Marijn opkijken, denkt ze. Haar ploeg is goed, veel beter dan die knulletjes waarmee Marijn staat te trappen op het grasveldje. Hij zal niet meer lachen om meidenvoetbal als hij hen heeft bezig gezien.

Het gaat nog beter dan ze hoopte. Evelien is er niet, en daarom mag Marijn invallen. Hij heeft natuurlijk geen voetbalschoenen aan, maar toch kan hij hun tempo echt niet bijhouden. Hij holt zich te pletter en hijgt zijn longen uit zijn lijf. 'Hé, dombo, heb je spaghetti in je benen?' vraagt linksvoor Ceciel als ze hem lachend voorbijloopt.

Marijn zegt niks, maar hij wordt rood. In de pauze ziet Marte hem stilletjes de deur uitglippen. Die heeft ze mooi op zijn nummer gezet.

5 Crisisvergadering

'Zelf gebakken?' vraagt Hanneke met een glimlach aan Ellen. Die knikt, terwijl ze verder koffie inschenkt en plakjes cake op de bordjes legt. 'Een heel eenvoudig recept, hoor. Ik bak hem bijna met mijn ogen dicht.'

Met mijn ogen dicht kan ik nog geen snede brood roosteren, denkt Hanneke. Tessa zal het hier zeker leuk vinden. Leuker dan thuis. Zelfgebakken cake, bloemstukje op tafel, kaarsjes op de schouw. Die arme Marte was er echt niet op vooruitgegaan. Voorverpakte koekjes uit de supermarkt en een paar zieltogende kamerplanten, dan had je de gezelligheid bij hen thuis wel gehad. Gerrit en zij vonden het nu eenmaal belangrijk om veel te doen, om met van alles bezig te zijn. Ze zaten in het buurtcomité en in het bestuur van de volleyclub. Gerrit regisseerde een toneelgroepje en zij werkte mee aan een plan voor de verbetering van de verkeersveiligheid. En zo was er altijd wel wat. Koken en bloemschikken stonden niet bovenaan haar lijstje.

Daan stormt de kamer binnen en geeft de anderen een hand. 'Sorry, het liep een beetje uit,' zegt hij.

Gerrit kucht even. 'Ja, we hebben dus een probleem,' zegt hij. 'Onze dochters zijn niet tevreden met de situatie en hebben met elkaar geruild. De vraag is, hoe we daarop moeten reageren, nu het na twee dagen nog niet vanzelf is overgegaan.'

Daan en Hanneke kijken naar de grond.

Ellen drinkt een grote slok van haar koffie en zet haar kopje dan met een klap neer. 'Ik denk nog steeds dat ze wel vanzelf zullen bijdraaien. Ze zullen hun broers of hun zusje missen en hun kamer... En dan houden ze er wel mee op.'

Hanneke trekt haar wenkbrauwen op. 'Ik weet niet of Tessa haar broers zo snel zal missen,' zucht ze. 'Die jongens zijn met heel andere dingen bezig dan zij... Misschien is ze wel blij dat ze hen kwijt is. Zo'n zusje als Janna, dat vindt ze vast veel leuker!'

'Tessa en Janna kunnen goed met elkaar opschieten,' beaamt Ellen, 'maar vandaag hoorde ik Janna toch vragen wanneer Marte weer terugkwam. Ze zijn heel anders, onze twee dochters, maar ze kunnen elkaar toch niet helemaal missen.'

'Trekt Marte een beetje op met jullie zoons?' vraagt Daan.

Gerrit knikt. 'Ze gaan hun eigen gang, maar ik denk dat ze Marte minder op haar kop zitten dan Tessa. Marte bijt meer van zich af.'

'Over een paar dagen hebben ze er allebei genoeg van en dan komen ze met hangende pootjes terug,' voorspelt Daan. 'Misschien is het niet slecht dat ze eens een tijd in een ander gezin hebben geleefd. Dan gaan ze daarna hun eigen gezin des te meer waarderen.'

'Ach ja, iedereen heeft wel eens ruzie met zijn ouders,' lacht Ellen. 'We moeten er maar niet teveel heisa over maken.'

Gerrit kucht weer. 'Ik denk eerlijk gezegd dat het bij Tessa toch dieper zit.' Hij vertelt over de judo-inschrijving. 'We hebben spijt dat we het zo hebben aangepakt, maar het is nu eenmaal gebeurd. Ik heb Tessa al laten weten dat ze niet naar judo hoeft als ze niet wil, maar dat heeft niets uitgehaald.'

'Die kinderen moeten leren dat ouders ook wel eens fouten maken,' zegt Daan, 'dat is toch menselijk? Ze willen gewoon even het mes in de wond ronddraaien, dat is alles.'

Hanneke bijt zenuwachtig op haar nagels. 'Jullie moeten me niet verkeerd begrijpen,' zegt ze tot Daan en Ellen. 'Ik vind Marte heel lief en ze is helemaal niet lastig of zo, maar ik wil gewoon Tessa terug!' Ze begint prompt te huilen. Daan en Ellen zwijgen geschrokken. Gerrit vist een grote, witte zakdoek op uit zijn broekzak en geeft hem aan Hanneke.

Daan schraapt zijn keel. 'Wat vinden jullie ervan om een deadline te stellen? Vandaag over een week?' vraagt hij. 'Als ze voor die tijd nog niet terug zijn, beleggen we een vergadering met de kinderen erbij. En dan dwingen we hen gewoon om weer elk bij hun eigen gezin te gaan wonen. We hoeven tenslotte niet alles te nemen!' De anderen zijn akkoord, en na nog een kopje koffie, gaan Gerrit en Hanneke weer naar huis.

Op de kamer van Marte staat Tessa stokstijf achter de deur. Ze luistert tot iedereen weg is en sluipt dan naar de telefoon.

'Marte? Met mij hier. Even snel, ze zijn over vijf minuutjes bij jou.'

'Heb je wat kunnen horen?' vraagt Marte. Ze heeft Tessa uitgelegd waar ze het best kon gaan staan: achter een dunne wand die er sinds de verbouwing als een muur uitziet, maar het niet echt is. Uit ervaring weet ze dat ze daar alles doorheen kan horen.

'O ja, meer dan genoeg,' antwoordt Tessa. 'Mijn moeder

vindt jou wel lief, maar ze wil toch liever mij terug. Ze
moest zelfs huilen.'
'Huilen?' vraagt Marte verwonderd, 'Waarom? Je bent toch
niet dood? Wat een onzin.'
Tessa antwoordt niet. Zij vond het niet makkelijk om haar
moeder te horen huilen. Bijna was ze naar haar toege-
rend, maar ze had het niet gedaan.

'Mijn vader heeft eerlijk opgebiecht van dat judo,' zegt ze. 'Dat valt me van hem mee, dat had ik nooit gedacht. Hij heeft er echt spijt van, denk ik. Maar in feite snappen ze het nog steeds niet helemaal. Dat we het beu zijn om altijd maar te doen en te zijn zoals zij graag willen. Waarom mogen we niet gewoon onszelf zijn? We moeten ermee doorgaan, zodat ze zien dat we het echt menen.'
'Denk je?' aarzelt Marte. Na de voetbaltraining kwam ze thuis in een ongezellig huis. Marijn en Dennis zaten op hun kamer, maar daar had je sowieso niet veel aan. En Gerrit en Hanneke waren weg. Bij haar thuis kun je altijd lekker kletsen als je binnenkomt. Dat mist ze wel. En Janna natuurlijk. Ook al is ze soms flauw.
Tessa vertelt over de deadline.
'Ik hoor je pa en ma aan de deur,' fluistert Marte opeens, 'ik hang op. Tot morgen op school!'
Tessa glipt de woonkamer binnen. Ellen ruimt de kopjes en bordjes op. Tessa helpt en neemt dan zelf een plakje cake. Nu ze hier toch is, moet ze ervan profiteren!

6 Marijn

In de middagpauze eten Marte en Tessa naast elkaar hun lunchpakket op. Bij Tessa zit er een zelfgebakken cakeje in en een geschilde wortel in plastic gewikkeld. Tussen de boterham zit de lekkere eiersalade die Martes moeder maakt. Bij Marte zit er alleen een boterham met salami in.

'Je moet in de koelkast zoeken,' zegt Tessa na een blik op Martes treurige boterham. 'Daar staan kleine potjes yoghurt. En in de groentebak ligt bijna altijd een stuk kommer. Je moet bij ons thuis gewoon zelf pakken wat je lekker vindt, dat deed ik ook altijd.'

Marte haalt haar schouders op. 'Ik overleef het wel.' Het is maar voor een week, denkt ze.

In de laatste les zitten ze een beetje te soezen bij een video over Karel de Grote als de deur van de klas plots opengaat en de directeur binnenkomt. 'Tessa, kom je even mee?'

Tessa kijkt verwonderd naar Marte. Wat zou er aan de hand zijn? Ze heeft niets gedaan wat niet mocht de afgelopen tijd, behalve dan dat ruilen... Maar daar heeft de directeur toch niets mee te maken?

Ze volgt de directeur naar zijn kantoor. Bij de deur blijft hij staan en pakt haar bij haar schouder vast.

'Er is iets ergs gebeurd, Tessa. Je broer is vanmiddag aangereden door een auto toen hij naar huis ging. Hij ligt in het ziekenhuis en is buiten bewustzijn.'

'Gaat hij dood?' vraagt Tessa. Haar stem is hees en ze kijkt de directeur aan zonder met haar ogen te knipperen. Hij moet haar niets wijsmaken.

'Dat weten we niet, Tessa,' zegt hij. 'Hier is je moeder aan de telefoon.'

Tessa neemt de hoorn vast. 'Hallo,' fluistert ze.

'Tessa!' zegt haar moeder.

Ik hoor bij hen, denkt Tessa. Wat er ook gebeurt. Ze knijpt haar ogen dicht.

'Hoe is het met Dennis?' vraagt ze.

'Met Dennis?' zegt haar moeder verwonderd. 'Dat weet ik niet. Hij zal natuurlijk erg schrikken. Wil jij een beetje bij hem in de buurt blijven?'

Het is Marijn, beseft Tessa met een schok. Ze heeft vanzelfsprekend aangenomen dat het Dennis is. Dennis is

toch degene die altijd valt en onder de blauwe plekken
zit? Die nog veel waaghalzeriger is dan Marijn? Marijn is
juist stiller en rustiger dan Dennis. En nu is Marijn...
'Hoe is het met Marijn?' vraagt ze.
'Ze hebben hem helemaal onderzocht,' vertelt mama. 'Hij
heeft een zware hersenschudding. Voor de rest moeten we
afwachten.' Tessa hoort een snik.
'Ik kom,' zegt ze, 'ik neem Dennis mee.' Ze moeten bij
elkaar zijn.
Ze hoort haar moeder sputteren over beter thuis blijven
en dat ze haar niet kan komen ophalen. De directeur
maakt duidelijk dat hij hen wel zal brengen. Ze legt de
hoorn neer.
'Waar is Dennis?' zegt ze. Waarom heeft de directeur hem
niet geroepen?
'Naar het zwembad met zijn klas,' legt de directeur uit. Hij
kijkt op zijn horloge. 'Hij komt over een kwartier terug.
Ga je spullen maar pakken, dan breng ik jullie zodra
Dennis er is.'
Tessa loopt door de gang weer naar haar klas. Dezelfde
stomme tegels als daarstraks, dezelfde kapstokken, hetzelfde zinnetje 'Anke is op Boris' in de deurstijl gekerfd.
En toch is alles anders. Als ze de klas binnenkomt, kijken
ze allemaal naar haar. Ze laat haar lange haren voor haar

gezicht zakken. Ze moet bijna lachen, hoewel daar helemaal geen reden voor is. Gelukkig is de video nog steeds
bezig.

'Ik moet weg,' zegt ze tegen de juf. Die vraagt geen uit-
leg. Ze pakt haar pennen en haar broodtrommel en propt
ze in haar tas.

'Wat is er?' vraagt Marte.

'Marijn heeft een ongeluk gehad. Hij ligt in het ziekenhuis,' zegt ze. Opeens schieten haar ogen vol tranen.

Marte pakt haar hand. 'Ik ga mee,' zegt ze. Ze begint ook
haar spullen in te pakken.

'Waar ga jij heen, Marte?' vraagt de juf als ze samen naar
de deur lopen.

'Mee met Tessa. Ik woon bij haar,' zegt ze. En als de juf haar verward aankijkt: 'Er is iets met haar broer.' Dan zijn ze de klas uit.

De directeur praat net met Dennis. Hij kijkt verwonderd naar Marte. 'Kan jij niet beter hier blijven?' vraagt hij.

'Nee,' zegt Marte, 'ik woon daar al bijna een week. Ik ga mee.'

Ze ziet er zo beslist uit dat hij niets meer zegt, maar hen meeneemt naar de auto.

Met zijn drieën zitten ze op de achterbank. Opeens keert Tessa zich naar Dennis. 'Waarom ging Marijn tussen de middag naar huis?' vraagt ze. 'Papa en mama zijn er dan toch niet?'

Dennis haalt zijn schouders op. 'Ik weet het niet. Ik merkte pas na een poosje dat hij weg was. Hij heeft er niets van gezegd.'

'Misschien was hij thuis iets vergeten?' oppert Marte. Maar niemand antwoordt. Ze willen allemaal zo gauw mogelijk in het ziekenhuis zijn en Marijn zien. Misschien is hij intussen al bij bewustzijn, hoopt Tessa. Het kan toch niet dat er iets met Marijn gebeurt, net nu zij een paar dagen weg is?

7 Altijd een tweeling

De directeur brengt hen tot op de afdeling waar Marijn ligt. Een verpleegster vertelt hun dat ze even moeten wachten. Marijn ligt in een speciale ruimte waar hij extra goed bewaakt wordt. Gerrit en Hanneke zijn binnen bij Marijn. De verpleegster wijst naar een witte deur waar 'Intensive Care Unit' op staat. Tessa staart door het raam zonder iets te zien. Dennis trommelt met zijn vuist tegen de onderkant van zijn stoel. Hij lijkt het zelf niet te merken. Marte leest wat er nog meer op de deur staat: de bezoekuren, die heel kort zijn en beperkt tot twee personen tegelijk. En daaronder de zin: Kinderen niet toegelaten. Ze zullen Marijn niet te zien krijgen vandaag.

Bij de directeur begint er iets in zijn zak te piepen: zijn mobiele telefoon. Hij springt op, vist het ding op en houdt het bij zijn oor. Hij praat en kijkt op zijn horloge. 'Ik moet er vandoor,' zegt hij na afloop. 'Kunnen jullie hier alleen blijven wachten?'

Ze knikken. De directeur loopt naar de lift en verdwijnt.

'Ik heb dorst,' zegt Dennis.

Tessa werpt hem een lelijke blik toe. Hoe kun je nu over zoiets beginnen als je broer misschien doodgaat?

Maar Marte vist een geldstuk uit haar broekzak en loopt naar een automaat. 'Cola of Fanta?' roept ze achterom.

'Fanta,' zegt Dennis.

De drankautomaat staat om de hoek. Marte stopt het geld in de gleuf en duwt op een knop. Terwijl ze op het blikje wacht, kijkt ze verstrooid de gang af. De man in de verte komt haar vreemd bekend voor. Tot ze met een schok ziet dat het haar vader is. Hij merkt haar ook op en loopt lachend op haar toe. Hij slaat een arm om haar heen en geeft haar een kus. 'Lang geleden, Marte,' zegt hij.

'Wat doe jij hier?' vraagt Marte.

'Ik heb net een patiënt van me opgezocht,' vertelt Daan.

'Maar waarom ben jij hier? Je mankeert niets, zo te zien.'

'Marijn is aangereden,' legt Marte uit, 'de broer van Tessa. Hij ligt in coma.' Ze wijst vaag naar de kant waar de witte deur is.

Daans gezicht wordt meteen ernstig. Marte is opeens blij dat haar vader dokter is. Misschien kan hij iets voor Marijn doen. Al weet ze wel dat hij gewoon huisarts is, en geen specialist. Maar toch. Daan loopt met haar mee naar

de anderen. Dennis drinkt het blikje in één keer leeg.
Tessa zit op haar handen en schommelt zenuwachtig heen
en weer.
'Waar zijn Gerrit en Hanneke?' vraagt Daan aan Tessa.
'We hebben ze nog niet gezien. Ze zijn bij Marijn,' zegt ze.
Daan knikt. Hij loopt naar het kantoor van de verpleeg-
ster en praat met haar. Dan gaat hij de witte deur binnen.
Dokters mogen in een ziekenhuis altijd iets meer.
Weer zitten de kinderen te wachten. Het lijkt wel alsof er
nooit meer een einde aan zal komen. Opeens knijpt
Dennis zo hard hij kan het lege blikje samen en gooit het
in de vuilnisbak. 'Ik wil Marijn zien,' mompelt hij. En voor
Tessa en Marte snappen wat er gebeurt, is hij de witte
deur binnengeglipt. Tessa hapt verbaasd naar adem en
grijpt Martes hand beet. Marte kijkt tersluiks naar de ver-
pleegster, maar die heeft niets gezien.
Een paar minuten later vliegt de witte deur weer open.
Hanneke en Dennis komen naar buiten. Hannekes ogen
zien er rood uit, alsof ze lang heeft gehuild, ziet Marte.
Tessa rent naar haar moeder en slaat haar armen om haar
heen. Marte kijkt een beetje opgelaten de andere kant
uit. Is zij hier te veel?
Hanneke gaat op een stoel tussen Dennis en Tessa zitten.
'Hoe is het nu met Marijn?' dringt Tessa aan.

Marte komt er stilletjes bij staan.

Hanneke knikt. 'De dokters zeggen dat we geduld moeten hebben. Zijn levensfuncties doen het goed: hart, ademhaling, nieren, dat werkt allemaal zoals het hoort. Zijn been is gebroken en dat wordt nu ingegipst.' Ze haalt diep adem. 'Maar hij is nog steeds niet bij bewustzijn.'

'Is dat normaal?' vraagt Tessa met een dun stemmetje.

Hanneke haalt haar schouders op. 'Hij heeft een klap tegen zijn hoofd gehad, waarschijnlijk van de zijkant van de auto,' zegt ze. 'Ze denken dat hij geen schedelbreuk heeft, maar een zware hersenschudding. Hij kan elk ogenblik bijkomen, maar het kan ook langer duren.'

'En als hij niet bijkomt?' vraagt Dennis. Hij schopt met zijn sportschoenen tegen de poten van de stoel.

'Daar mag je niet aan denken,' zegt Hanneke. 'Hij komt wel bij, ik weet het zeker. Hij kan toch nooit lang stilzitten?' Ze glimlacht naar Dennis, maar er staan tranen in haar ogen. Tessa legt haar hoofd tegen haar moeders schouder.

Nu pas ziet Hanneke Marte staan. Ze steekt een hand naar haar uit. 'Lief dat jij er ook bij bent,' zegt ze. 'Je vader praat met de dokters. Hopelijk kan hij ons straks iets meer vertellen.'

Daar gaat de witte deur weer open. Daan loopt op hen toe. 'Het ziet er echt niet slecht uit,' zegt hij tot Hanneke. 'Waarschijnlijk komt hij in de volgende uren of dagen weer bij. Hoe sneller dat gebeurt, hoe beter het is natuurlijk. Dan zal hij nog wel een hele tijd moeten rusten met zijn hoofd en met zijn been.'

Hanneke knikt. Ze moet het geloven. Ze wil het geloven. Maar het is moeilijk. Marijn ligt daar zo stil als een pop. Alsof hij slaapt. Ze hoopt maar dat hij gauw weer wakker wordt. Ze strijkt met een trillende hand over haar voorhoofd.

'Ik haal koffie voor je,' zegt Daan. Hij komt terug met twee hete plastic bekertjes. 'Hoor eens, vind je het goed

dat wij zolang de kinderen opvangen? Dan kunnen jullie
hier blijven zolang jullie willen. Dat is tenminste één zorg
minder. En Tessa woont toch al bij ons!' Hij lacht terwijl
hij dat zegt, maar Tessa kan hem wel schoppen. Waarom
moet hij dat nu zeggen?

'Kan dat wel?' stamelt Hanneke. 'Misschien kunnen ze
toch beter naar huis?'

'Natuurlijk kan dat,' wimpelt Daan haar bezwaren weg, 'in
elk geval is het voor vandaag het beste. Later zien we dan
wel weer. Hier,' hij haalt een kaartje uit zijn zak, met het
nummer van zijn mobiele telefoon, 'jullie kunnen me
altijd bereiken.'

'Bedankt,' zegt Hanneke. Ze kijkt naar Tessa en Dennis.
'Oké voor jullie?' Ze knikken.

Dan gaan ze alledrie mee met Daan. Terwijl ze over de
parkeerplaats lopen, stoot Tessa Dennis even aan. 'Hoe
zag Marijn eruit?' vraagt ze.

Dennis denkt na. 'Helemaal stil,' zegt hij. 'En zijn been in
het gips. Een grote schaafwond op zijn wang en één oog
helemaal dik.'

Tessa zegt niets.

'Weet je wat raar was?' schiet het Dennis opeens te binnen. 'Iemand bracht papa een zakje met spullen van
Marijn, die ze weggehaald hadden bij het onderzoek en

zo. Zijn pet en zijn jas en zijn schoenen en zo. En weet je wat er ook bij zat? Zijn zwemvliezen!'

'Dan is hij die vast thuis gaan halen, vanmiddag in de pauze,' bedenkt Tessa. 'Heeft hij dat zelfs niet tegen jou gezegd?'

'Nee,' zegt Dennis.

Ze zwijgen. Die zwemvliezen had Marijn gewonnen bij een tombola op het buurtfeest. Het was iets van hem alleen. Dennis had geen zwemvliezen. Marijn was er apetrots op en nam ze steevast mee naar het zwembad. Vandaag wilde hij dat dus ook.

In de auto denkt Marte aan Tessa. Die klaagt vaak over haar tweelingbroers. Een tweeling zijn lijkt leuk voor wie het niet is. Je hebt natuurlijk veel aan elkaar. Maar misschien is het niet leuk om altijd samen bekeken te worden, als 'de helft van'.

Maar wat Marijn nu meemaakt, zal Dennis hem niet zomaar nadoen. ♦

8 Wachten

Tessa draait zich voor de zevende keer op haar andere
kant. De slaap wil niet komen vandaag. Ze ligt op het
extra matras in de kamer van Marte. Ze heeft hier vroeger
al vaak geslapen. Marte ligt nu weer in haar eigen bed.
Het bed waarin Tessa de afgelopen dagen heeft geslapen,
nadat ze geruild hadden. Daar is nu wel op een heel rare
manier een einde aan gekomen.
De moeder van Marte was wel lief. Ze had Tessa stevig
vastgepakt toen ze het hoorde van Marijn. 'Dat is schrikken,' zei ze, 'maar het is goed dat jullie hier blijven. Je
zult zien dat we al snel goed nieuws krijgen uit het ziekenhuis.'
Tessa had het echt geloofd. Maar er kwam niets. Ellen zet-
te hen aan het werk. Tessa mocht mee groente snijden
voor de spaghetti en Dennis mocht een matras van de zolder halen en op het studeerkamertje leggen. Daar lag hij
nu te slapen.
Na het eten was Ellen wat spullen van Dennis gaan halen

bij hen thuis en had gelijk Martes tas weer meegenomen. Tessa had haar spullen al. Daarna hadden ze tv-gekeken tot ze naar bed moesten. Tessa wist niet meer naar welk programma. Iets met walvissen, herinnerde ze zich vaag. De logge beesten hadden haar doen denken aan Marijn. Die lag nu ook als een walvis te woelen in zijn eigen gedachten.

'Denk je aan Marijn?' had Marte gevraagd toen ze samen in de donkere kamer lagen.
Tessa had niet geantwoord. Natuurlijk denkt ze aan Marijn, maar ze wil niet over hem praten. Marijn is van haar. Marte hoeft zich niet met hem te bemoeien. Na een poosje hoort ze de diepe ademhaling van Marte. Die slaapt.

Tessa steekt haar benen uit de slaapzak en komt overeind. Ze schuifelt zachtjes naar de deur en naar beneden. Ellen zit op de bank met een plaid over haar benen. Ze leest. Naast haar staat een pot thee. 'Hoi, Tessa, kun je niet slapen?' vraagt ze. 'Kom er even bij zitten. Wil je ook thee?' Tessa steekt haar voeten ook onder de plaid. 'Waar is Daan?' vraagt ze.
Ellen trekt een grimas. 'Dringend huisbezoek,' zegt ze.

'Huisarts is een stom beroep, vind je ook niet?'
Tessa lacht omdat Ellen dat zo zegt. 'Iemand genezen lijkt
me wel leuk,' antwoordt ze. 'Maar dat lukt natuurlijk niet
altijd.'
Ze zwijgen en denken allebei aan hetzelfde.
Dan gaat de telefoon over. Het is Gerrit, de vader van
Tessa.
'Dat is een goed teken,' zegt Ellen. 'Blijven jullie vannacht
bij hem? Oké, hier is Tessa nog even, die kon niet slapen.'

Tessa neemt de hoorn over. 'Papa,' zegt ze, 'is Marijn weer wakker?'

'Hij deed heel even zijn ogen open daarstraks,' vertelt papa. 'Hij keek ons aan en zei: waar? En toen viel hij weer in slaap. De dokter zegt dat hij over een poosje nog wakkerder zal worden. Wij blijven hier vannacht.'

'Ik zal duimen,' zegt Tessa.

'Dat is goed,' zegt papa. 'Ga nu maar lekker slapen, Tessa. Misschien is Marijn morgenochtend al veel beter.'

'Ja,' zegt Tessa. Ze legt de hoorn neer.

'Hier, je thee,' zegt Ellen. 'En dan moet je echt weer naar bed. Ik kruip er zelf ook zo meteen in. Fijn hè, van Marijn. Hij wordt heus weer beter.'

'Zou hij dromen nu?' vraagt Tessa.

'Dat moet je maar eens aan Daan vragen, wat comapatiënten meemaken tijdens hun coma. Ik weet het niet precies.' Daar is Daan net. Hij laat zich met een zucht op de bank zakken en neemt een kop thee. Ellen vertelt hem hoe het zit met Marijn.

Hij knikt. 'We weten niet veel over wat er gebeurt in het hoofd van iemand in coma,' zegt hij. 'Maar sommige artsen denken dat ze op één of andere manier kunnen horen wat er rondom hen gebeurt, ook al reageren ze er niet meteen op. Ik heb wel eens een patiëntje gehad dat een week in coma lag. Zijn ouders lazen hem elke dag voor uit zijn lievelingsboek. Achteraf kon hij zich dat heel goed herinneren. Sommige artsen beweren dat zoiets kan helpen om de patiënt te laten ontwaken. Door hem terug te roepen met iets uit het leven dat hij kent.'

Tessa vindt het een mooie gedachte. Ze zegt welterusten en gaat weer op het extra matras bij Marte liggen.

Misschien kan ze óók iets bedenken om Marijn terug te roepen. Iets wat hij heel goed kent en wat hij leuk vindt. Van voorlezen houdt hij niet, dus dat heeft geen zin.

Tessa piekert zich suf, maar het enige resultaat is dat ze twee minuten later vast in slaap is.

9 Tessa's plan

's Ochtends is alles nog hetzelfde. Ellen heeft Hanneke aan de telefoon gehad, maar over Marijn is er niets nieuws te vertellen. Er zit niets anders op dan naar school te gaan. Hanneke heeft beloofd dat ze meteen belt als er nieuws is.

Op school doen ze iets ingewikkelds met breuken en Tessa let zo goed op, dat het middagpauze is voor ze het weet. Arno vraagt haar hoe het met Marijn is. Er zijn nog meer kinderen die het gehoord hebben, merkt ze aan de blikken. Ze vertelt over het gips en wat het betekent om in coma te liggen.

Ze zoekt Dennis op die in een hoek van de speelplaats in zijn eentje tegen een bal staat te trappen. 'Ik wou dat we thuis konden wonen,' zegt hij.

Tessa knikt. Ze begrijpt wat hij bedoelt. Het is al erg van Marijn, maar nu lijkt het alsof hun hele gezin uit elkaar is gevallen. 'Misschien is hij straks al beter,' zegt ze. Ze gelooft er zelf niet meer in. Ze heeft wel eens iets gelezen over een vrouw die maandenlang in coma had gelegen. Ze moet er niet aan denken dat zoiets met Marijn gebeurt.

Na school hangt ze een hele tijd met mama aan de telefoon. Ze vertelt allerlei details: dat het soms lijkt alsof Marijn glimlacht, dat ze voortdurend tegen hem praat. Marijn is intussen overgebracht naar een gewone kamer. Morgen mogen Dennis en zij op bezoek komen.

Na het eten helpen Marte en Tessa met de afwas. Dennis speelt een spelletje met Janna, maar ze horen tot in de keuken dat hij ruziemaakt.
'Dat mag niet, dat is tegen de spelregels!' gilt Janna.
'Wat geeft dat nou, het is toch veel leuker zo,' horen ze Dennis zeggen.
Tessa lacht ondanks zichzelf. Het is ook zo typisch Dennis. Hij verveelt zich stierlijk. Hij is niet zo'n fan van spelletjes, behalve dan van computerspelletjes. Maar dat kan hier niet. Opeens laat Tessa het vergiet dat ze vasthoudt bijna uit haar handen vallen. Dat is het! Computerspelletjes! Die moet Marijn horen in zijn ziekenhuisbed!
Ze zegt niets tegen Marte, maar denkt diep na. Waar haalt ze een computer vandaan? Dat grote bakbeest van bij hen

thuis kan ze nooit vervoeren. Maar papa heeft vaak een laptop bij zich van zijn werk. Dat zou heel goed gaan. De spelletjes vindt ze wel, die liggen gewoon bij de computer.

'Tessa! Tessa!' Marte lacht. 'Ik heb je al vijf keer geroepen. Waar zit jij toch met je gedachten?' Ze geeft een speels klopje op Tessa's arm. 'Het komt heus wel goed met Marijn, hoor.'
Opeens wordt Tessa spinnijdig. 'Wat weet jij daarvan?' gilt ze. 'Bemoei je er alsjeblieft niet mee!' Ze rent de keuken uit en laat een verblufte Marte achter.
'Laat haar maar even,' sust Ellen. 'Het is haar allemaal een beetje te veel. Ze zit nu al zo'n tijd in spanning.'
Marte mompelt iets onverstaanbaars. Daar is Tessa alweer. Ze heeft haar jas aan. 'Even mijn zwemspullen halen,' zegt ze.
Ellen knikt.
Marte kijkt haar na. 'Haar zwemtas ligt op mijn kamer,' zegt ze.
'Misschien wil ze er gewoon even uit zijn,' zegt Ellen, 'dat zal haar goeddoen.'

Met haar eigen sleutel gaat Tessa de voordeur binnen. Het

lijkt lang geleden dat ze hier nog echt gewoond heeft.
Het is heel stil en het ruikt een beetje vreemd. Bij de trap
staan een paar schoenen van mama, die daar haastig lij-
ken achtergelaten. Ze loopt naar boven. Op de badkamer
staat het deurtje van de kast naast de spiegel open. Mama
heeft in zeven haasten toiletspullen ingepakt en is toen
weer snel naar het ziekenhuis gegaan. Op de grote slaap-
kamer ligt papa's laptop op de stoel naast zijn bed. Tessa
pakt het koffertje voorzichtig mee. Op de studeerkamer
vindt ze een heleboel spelletjes. Ze propt er een stuk of
zes in het zijvak van papa's laptop. Ze kijkt op haar horloge: zeven uur. Ze kan best nog vandaag naar het ziekenhuis. Hoe sneller Marijn wakker wordt, hoe beter. Ze weet
de weg wel naar het ziekenhuis. Het ligt aan de andere
kant van de stad. Het is een heel eind, maar met de fiets
lukt het wel.

Net als ze bij de voordeur is, gaat de telefoon over. Tessa
aarzelt. Zal ze opnemen? Misschien is het papa of
mama... Ze grist de hoorn van de haak.
'Hallo?' klinkt een heel bekende stem.
'Oma!' roept Tessa uit. Ze is heel blij om oma te horen.
Die praat maar door. Over hoe gevaarlijk die auto's toch
rijden. Dat het een echte schande is. Dat het heel goed is

dat Marijn nu aan één stuk door slaapt, omdat hij zo helemaal geen pijn voelt. Dat ze morgen naar hen toekomt, zodat Dennis en Tessa weer gewoon thuis kunnen wonen.
'Wat zeg je, oma? Kom je morgen?' vraag Tessa blij. Ze wil niets liever dan weer in haar eigen huis wonen. Alles moet zo snel mogelijk weer normaal worden. Ze heeft het gevoel dat ze door weg te gaan al die ellende over hun gezin heeft afgeroepen, al weet ze wel dat dat onzin is.
'Zeg jij het tegen je ouders, kind? Ik krijg ze maar niet te pakken in het ziekenhuis,' zegt oma.
Tessa belooft het. 'Tot morgen, oma!' roept ze nog.
Dan legt oma op. Tessa hijst de zware laptop over haar schouder en gaat de deur uit.

10 Roerloos

Tessa denkt na. Het is goed dat oma komt. Maar het is
nog beter als Marijn wakker wordt. Ze zal het proberen
met de computerspelletjes. Maar er is nóg een geluid uit
hun huis dat Marijn kent: het geluid van haar dwarsfluit.
Marijn houdt er niet van, hij vindt het gepiep. Soms houdt
hij zijn oren dicht als zij fluit. Dat is overdreven, want ze
kan het best al goed. Maar misschien is het net goed dat
hij zich ergert. Misschien word je sneller wakker van iets
wat je lelijk vindt dan van iets wat je mooi vindt. Tessa
wil het proberen.
Ze maakt de laptop vast op de bagagedrager van haar
fiets. Ze haalt haar dwarsfluit in zijn speciale koffertje op
en propt hem erbovenop. Voorzichtig fietst ze langs het
grasveldje naar de grote weg. Maar wie lopen daar? Dat
zijn Dennis en Marte! Ze hebben haar ook gezien.
Marte is vast gaan voetballen met Dennis om hem af te
leiden. Toch wel lief van haar, vindt Tessa.
'Wat heb je daar bij je?' vraagt Dennis.

'Papa's laptop,' antwoordt Tessa. 'Ik wil kijken of Marijn reageert op het geluid van jullie spelletjes.'
'Welke heb je bij je?' vraagt Dennis.
Tessa wijst naar het zijvak. Dennis graait er een cd-rom uit. Er staan dreigende monsters op. 'Die!' zegt hij vastbesloten. 'Die moet je laten horen. Die vindt Marijn het spannendst.'
'Wanneer ga je dat doen?' wil Marte weten.
'Nu!' zegt Tessa. 'Het duurt al zo lang.'
'Dan gaan we mee, oké, Dennis?' vraagt Marte. Ze hollen naar hun fiets. En twintig minuten later staan ze bij het ziekenhuis. Ze vragen de weg naar de kamer van Marijn.

Bij de deur van Marijns kamer aarzelt Tessa even. Zou het een akelig gezicht zijn? Dan balt ze haar vuisten. Als Dennis het kon, kan zij het ook. Ze stappen naar binnen. Papa zit onderuitgezakt in een stoel in de hoek. Hij slaapt. Mama is nergens te zien. Marijn ligt roerloos op bed. Zijn been zit in het gips. Hij ziet eruit alsof hij slaapt. Zijn hoofd is gezwollen en geschaafd. Tessa raakt zijn hand aan. Die is warm, maar Marijn beweegt niet. Dennis haalt de laptop uit de tas en doet hem aan. Marte reikt de cd-rom aan. Tessa stopt hem erin.
'Hij is nog niet geïnstalleerd,' zegt Dennis. Hij beweegt de

muis en klikt een paar keer. Na een paar minuten klinkt er muziek uit het ding. Dennis plaatst de laptop zo dicht mogelijk bij Marijn. Zo kan hij het horen. Plots klinkt er luid trompetgeschal. Dat hoort bij het spel. Papa maakt een heftige beweging en schrikt wakker. Gespannen kijken de kinderen naar Marijn. Beweegt hij? Marijn trekt een paar keer met zijn neus. Ook zijn hand schokt even. Dan ligt hij weer stil.

Papa komt dichterbij. 'Hallo, jongens,' zegt hij geeuwend. 'Verdorie, is dat mijn laptop? Hoe is die hier gekomen?'

'Op mijn fiets,' zegt Tessa laconiek.

'Dat is veel te gevaarlijk,' roept papa uit. 'Weet je wel wat er gebeurt als zo'n ding valt?'

'Niet zeuren, het is toch goed gegaan,' zegt Tessa. 'Hij reageert hier echt wel op.'

Dennis beweegt de muis en speelt het spel. Hij zet de volumeknop zo hard mogelijk. De geluiden van het spel vullen de kamer.

'Waar is mama?' vraagt Tessa.

'Even iets eten beneden in de cafetaria,' zegt papa. 'Ik bleef intussen bij Marijn. Maar ik ben zo moe dat ik in slaap ben gesukkeld. Ik heb vannacht ook niet veel geslapen.'

Marte gaat op haar knieën bij het bed zitten. 'Zijn oogle-

den bewegen af en toe,' zegt ze. 'Volgens mij hoort hij
het.'

Dennis speelt verder alsof zijn leven ervan afhangt.

Een poosje later komt mama binnen. Ze kijkt verrast naar
de kinderen en de computer. 'Moet je nu hier ook al...,'
begint ze. Maar dan snapt ze het. Ze buigt zich over
Marijn en geeft hem een zoen.

'Hoor je, Marijn?' zegt ze. 'Je computerspel. Heb je daar
geen zin in?'

Weer lijkt Marijn te bewegen. Maar het lukt hem niet om
echt wakker te worden. Marte bijt op haar vingers.

Het spel is nu wat stiller.

'Ik heb mijn dwarsfluit ook bij me,' zegt Tessa, 'ik zal er
even op spelen.' Ze haalt de stukken uit het koffertje en
zet ze in elkaar. Voorzichtig zet ze aan. Het klinkt nog
wat aarzelend, alsof de fluit eerst moet ademhalen. Maar
dan blaast ze de lucht krachtig en gelijkmatig naar buiten. Zachte, heldere tonen klinken door de kamer. Ze
speelt een vrolijk liedje, speciaal voor Marijn. Het lukt
haar helemaal zonder fouten.

'Mooi,' zegt mama. Ze snuit haar neus.

Tessa durft niet goed naar Marijn te kijken. Ze is teleurge-
steld. Ze had een beetje gehoopt dat hij bij haar fluitmu-
ziek meteen rechtop zou gaan zitten.

'Kijk!' roept Marte opeens. Ze wijst naar Marijn. Die trekt zijn mond scheef. Hij vormt een tuitje, alsof hij wil blazen. Dan ligt hij weer stil.

'Hij heeft je gehoord,' zegt mama. 'Dat was een goed idee, Tessa.'

Er komt een verpleegster binnen. 'We gaan Marijn verzorgen. Wachten jullie even buiten?'

'Jullie moeten naar huis,' zegt mama, 'naar Daan en Ellen.'

'O ja,' herinnert Tessa zich opeens, 'oma komt morgen.' Ze ziet hoe papa zijn ogen naar het plafond slaat. 'Dan kunnen wij weer thuis wonen.'

Mama knikt aarzelend. 'Misschien is dat nog niet zo'n gek idee. Ik bel haar zo meteen wel even. Maar vannacht wil ik nog graag hier blijven. Ik hoop zo dat hij wakker wordt.'

Papa slaat een arm om haar heen. 'Zal ik jullie met de auto terugbrengen?' vraagt hij.

'Wij zijn met de fiets,' zegt Marte.

'Dat weet ik,' lacht papa. 'Laat mijn laptop maar fijn hier. Kom morgen nog maar een spelletje doen, Dennis.'

'Ik laat mijn fluit ook hier,' beslist Tessa, 'ik kom morgen ook terug.'

Dan gaan ze samen naar huis.

11 IJs met chocoladesaus

Als ze bij Daan en Ellen achterom fietsen, vliegt opeens de achterdeur open. Janna rent naar buiten. 'Hij is wakker, hij is wakker!' gilt ze met een hoog stemmetje. Ze danst op en neer.

Tessa stopt bruusk. Marte botst tegen haar op, en de trapper van haar fiets snijdt gemeen in Tessa's kuit. Ze merkt het niet echt.

Ellen verschijnt nu ook in de achterdeur, met een brede glimlach op haar gezicht. Ze loopt met wijdopen armen op Dennis en Tessa toe. 'Marijn is bij bewustzijn,' zegt ze. 'Gerrit belde net. Ik hoor dat jullie daar goed aan hebben meegeholpen. Jullie waren nog maar net de deur uit, of hij deed zijn ogen open en zei: 'Dennis'! Nu komt alles weer goed, fijn hè?'

Tessa rukt zich los en zet een paar stappen opzij. Het lijkt alsof ze niet genoeg lucht krijgt. Haar benen beginnen te trillen. De angst om Marijn komt er langzaam uit. Ze haalt diep adem. Iemand zet haar fiets rechtop, die ze in de opwinding heeft laten vallen. Marte. Marte kijkt naar haar en lacht. Tessa lacht ook.

Dan stopt de auto van Daan op straat. Janna rent naar hem toe en begint druk te vertellen. Hij tilt haar lachend op. 'Is het waar?' vraagt hij aan Ellen. Die knikt. Hij kijkt naar Dennis, die ongewoon rustig voor zich uit staart en met zijn ogen knippert. En naar Tessa, die steeds erger op haar benen trilt. 'Willen jullie Marijn zien? Heel eventjes?' vraagt hij.

Tessa en Dennis knikken. Daan wijst naar de auto. Vlak voor ze instapt, kijkt Tessa achterom naar Marte. Ze trekt een vragend gezicht. Maar Marte schudt haar hoofd. Ze gaat niet mee. Hier hoort zij niet bij.

Dennis en Tessa zeggen niets tijdens de rit naar het ziekenhuis. Soms geeft Tessa antwoord als Daan iets vraagt. Dennis lijkt wel niet thuis. Hij staart door het raam naar de andere auto's, alsof het ruimtevaartuigen zijn.

Wat als het anders was afgelopen, denkt Tessa. Ze moet weer rillen. Als we een telefoontje hadden gekregen met de mededeling dat Marijn was doodgegaan. Dan zouden we net zoals nu naar het ziekenhuis rijden. We zouden gek zijn van verdriet, maar toch zouden we helemaal niets kunnen doen. Ze durft er bijna niet aan te denken.

Marijn ligt nog steeds in zijn ziekenhuisbed. Hij ziet er niet zoveel anders uit als daarstraks. Maar zijn ogen zijn open en hij lacht zijn schuine lachje. Tessa zou hem wel kunnen zoenen en knuffelen, maar ze doet het niet. In plaats daarvan knijpt ze in zijn teen. Zijn goede teen, van het been dat niet in het gips zit. Marijn kijkt al niet meer naar haar. Hij ziet Dennis. Die leunt voorover naar Marijn. 'Heb je gehoord dat ik al in niveau vijf zat, daarstraks?' vraagt hij.

'Wauw,' zegt Marijn, 'echt waar? Laat eens zien!'

Er is iets met de manier waarop hij praat. Trager, alsof zijn tong dik is.

Tessa kijkt bang naar mama, maar die lacht een suikerzoete glimlach. In haar hand klemt ze een zakdoek, waarmee ze af en toe haar ogen dept. Ze huilt nu meer dan voordat Marijn weer bij bewustzijn was, denkt Tessa. Vreemd toch. Dennis maakt aanstalten om papa's laptop te installeren, maar daar steekt mama een stokje voor. 'Niet nu, jongens,' zegt ze. 'Marijn moet slapen, en jullie moeten ook naar bed.' Marijn draait zijn hoofd langzaam opzij om naar Dennis te kijken. Het lijkt alsof hij bang is dat het eraf valt.

'Hij heeft niets anders gedaan dan slapen, de laatste dagen,' zegt Dennis.

Marijn steekt zijn tong uit. Hij ziet er nog heel bleek uit, ziet Tessa. En soms kijkt hij verward rond, alsof hij nog niet alles snapt wat er gebeurt. De schram op zijn wang is gezwollen, net als zijn oog. Het zal nog even duren voordat hij er weer gewoon uitziet. Voorlopig zal niemand het moeilijk hebben om Marijn en Dennis uit elkaar te houden. Thuis heeft niemand daar problemen mee, maar buren en ooms of tantes die hen niet vaak zien, zuchten soms wanhopig als ze de twee broers zien.
'Heb je gehoord dat ik dwarsfluit voor je gespeeld heb?' vraagt ze.
'Ik geloof van wel,' aarzelt Marijn. 'Ik dacht dat ik droomde, maar misschien was het wel echt.'

In de auto terug naar Ellen en Marte merkt Tessa dat het trillen eindelijk is opgehouden. Marijn wordt weer de oude. Alles komt goed. Er zit een grote brok troost in haar buik, die zich langzaam uitstrekt naar haar benen, haar armen en haar hoofd.
'Wanneer mag Marijn naar huis?' vraagt Dennis opeens.
'Dat weet ik niet precies,' antwoordt Daan. 'Het zal nog wel een paar dagen duren. De dokters willen meestal onderzoeken of alles in zijn hersenen nog goed werkt. Als alles oké is, kan hij naar huis. Voor een been in het gips

hoef je niet in het ziekenhuis te blijven.'

Dennis knikt. 'Onze spelletjes zijn nog in het ziekenhuis, en de laptop van papa. Marijn zal zich niet vervelen.'

'Hij kan nog niet zo lang achter elkaar spelen,' zegt Daan. 'In het begin moet hij nog veel rusten. Het duurt wel even voordat hij weer helemaal de oude is.'

'Komt het helemaal goed met hem?' vraagt Dennis.

'Ik denk van wel,' zegt Daan. 'Sommige dingen hebben een beetje tijd nodig. Hij praatte nog wat trager dan anders, toch? Dat trekt wel weer bij. Ook lopen kan in het begin wat moeilijker gaan, maar dat kan nu toch niet met dat gips. Misschien moet hij weer wennen om te schrijven of andere kleine bewegingen te maken, maar dat moeten we nog afwachten. Maar hij herstelt wel.'

Thuis bij Marte is er ijs. Om het herstel van Marijn te vieren. Marte en Ellen scheppen grote bollen in glazen schaaltjes en gieten er warme chocoladesaus over. Het is heerlijk, maar toch krijgt Tessa haar schaaltje niet leeg. Janna zit met kleine slaapoogjes naast haar. 'Kom, we gaan naar bed,' zegt Tessa. Ze staat op. 'Bedankt,' zegt ze tegen Ellen en Daan, 'bedankt voor alles.' ♠

12 Judoles

De volgende ochtend zeggen Marte en Tessa niet veel
tegen elkaar. Ze wassen zich en kammen hun haar. Ze
trekken kleren aan en maken hun bed op. Terwijl Tessa
haar laatste veter strikt, rinkelt beneden de telefoon.
'Tessa! Voor jou!' roept Ellen.
Ze holt naar beneden. Er zal toch niks ergs met Marijn
gebeurd zijn? Het is papa.
'Hoor eens, Tessa, ik heb niet veel tijd en ik moet je een
paar dingen zeggen. Oma komt in de loop van de dag, en
ze zal jullie spullen ophalen bij Daan en Ellen. Mama
blijft voorlopig nog bij Marijn, al gaat het intussen een
stuk beter met hem. Ik moet dringend naar mijn werk,
daar ligt een stapel dossiers op me te wachten... Wees
lief voor oma, en help haar een beetje, oké? Geef me
Dennis ook maar even. O ja, Tessa, vanmiddag is die judoles, je weet wel. Als je je misschien bedacht hebt...'
Tessa haalt de hoorn snel van haar oor en houdt hem ver
weg, alsof hij gloeiend heet is. Ze hoort papa hard

lachen. Ze wenkt Dennis. Er zit opeens een hol gevoel in
haar buik. Hoe kan papa nu zoiets zeggen? Hoe kan hij
om zoiets lachen? Snapt hij dan niet dat het voor haar
niet om te lachen was?

Pas als ze de trap weer oploopt om haar schooltas te pakken, wordt ze kwaad. Wat is dat voor een gemene streek?
Heeft papa dan niets begrepen?

Gisteren had ze nog het gevoel dat ze toch echt wel bij
elkaar hoorden, met zijn vijven. Zo blij als iedereen was
toen Marijn weer wakker werd... Ze had gedacht dat ze
het toch wel leuk vonden, dat ze dwarsfluit speelde. Kon
papa dan alleen maar trots op haar zijn als ze aan sport
deed? Ze bonkt de laatste treden op.

Boven propt Marte Tessa's nachtjapon in een reistas. 'Laat
maar,' zegt Tessa, 'ik blijf.'

Marte kijkt geërgerd. 'Hoezo?'

'Papa wil dat ik toch naar de judoles ga,' barst Tessa uit.
Marte zegt niets. Zo erg kan zo'n judoles volgens haar niet
zijn. Ze kan het toch best één keer proberen? Maar het
gaat Tessa om het principe, dat snapt ze wel. Alleen
wordt ze er zo langzamerhand een beetje moe van.

'Als je maar niet denkt dat ik weer bij jullie thuis ga
wonen,' zegt Marte fel. 'Ik heb genoeg van dat ruilen!
Voor mij hoeft het niet meer. Ik hou het hier wel uit.'

Janna komt in de deuropening van Martes kamer staan.
Dennis loopt over de gang voorbij.

'Zie je dan niet dat ze niks hebben bijgeleerd, die ouders van mij?' roept Tessa. 'Ze zullen blijven zeuren over sport zolang ik leef. Als ik er nu niks aan doe, leren ze het nooit!' Ze schopt haar reistas naar de andere kant van de kamer. 'Ze moeten eindelijk maar eens voelen dat dit voor mij serieus is!'

Marte draait zich om en loopt naar beneden. Zwijgend gaat ze aan de ontbijttafel zitten. Haar moeder kijkt verwonderd naar haar norse gezicht, maar ze vraagt niets.
Even later is Tessa er ook. En Dennis en Janna. Ze eten cornflakes met melk.
'Oma komt straks jouw spullen halen,' zegt Tessa tegen Dennis.
'En die van jou?' vraagt Dennis.
Tessa schudt haar hoofd. 'Ik blijf hier.'
'Kom jij dan mee?' vraagt Dennis aan Marte. Hij ziet er opeens jonger uit dan hij is.
Marte kijkt nijdig naar Tessa. 'Ik ga niet aan jouw oma uitleggen wat er aan de hand is!' roept ze. 'Dat mag je zelf doen!'
Ze zucht. 'Als het per se moet, ga ik nog wel even met

Dennis mee.' Ze wil hem niet in de steek laten, niet nu
Marijn in het ziekenhuis ligt.

'Hola, hola,' zegt Ellen. 'Hebben wij er misschien ook nog
iets over te vertellen? Ik vind dat het nu maar eens afgelopen moet zijn met die flauwekul. Het is echt niet het
moment om je ouders met zoiets lastig te vallen, Tessa.
Ze hebben zo al genoeg aan hun hoofd. Jij gaat gewoon
naar huis zoals afgesproken.'

Tessa zwijgt. Marte ook. Janna wil nog meer cornflakes.
Dennis haalt van boven twee reistassen en zet ze bij de
voordeur. Straks komt oma ze daar halen.

Ellen legt een hand op Tessa's schouder. 'Je weet best dat
je hier altijd welkom bent. Maar nu ga je toch te ver. Ga
nu maar gewoon naar huis, je zult zien dat het best mee-
valt.'

Tessa knikt. Ze begrijpt best dat ze hier niet langer kan
blijven. Marte wil eigenlijk ook al niet meer meedoen. Ze
zal zelf een andere oplossing moeten zoeken. Maar eerst
moet ze met oma praten.

En dat probeert Tessa ook, als ze 's middags uit school
komt. Oma's auto staat voor de deur en uit de keuken
komt de geur van verse soep. Tomatensoep met balletjes,
hoopt Dennis. Het klopt. Na het eten blijft Tessa nog

even aan tafel zitten met oma. Dennis is, meteen toen zijn bord leeg was, naar de computer gespurt. Alsof hij bang was dat Marijn hem toch nog te snel af zou zijn.

'Oma,' begint Tessa, 'vind jij dat kinderen altijd moeten doen wat hun ouders zeggen?'

Oma peutert met een stokje tussen haar tanden. 'Nee, niet altijd,' zegt ze, 'maar meestal wel. Ouders hebben het gewoonlijk goed voor met hun kinderen. Dat snappen die kinderen vaak pas achteraf.'

Tessa zwijgt. Dit loopt verkeerd. Ze had gehoopt dat oma haar zou begrijpen. Maar nee hoor: ouders en grootouders, het is allemaal één pot nat.

Oma kijkt haar opeens scherp aan. 'Bedoelde je nog iets speciaals?' vraagt ze.

Tessa haalt haar schouders op. 'Laat maar,' mompelt ze. Ze schuift haar stoel achteruit.

'Voor ik het vergeet, Tessa, je vader vroeg of ik je aan je judoles wilde herinneren. Ik wist niet dat je op judo zat! Lijkt me leuk.'

'Mij niet,' mompelt Tessa weer. Ze loopt naar haar kamer. Daar staat de reistas met haar spullen. Makkelijk. Ze haalt de slaapzak van de kast en haar zaklamp uit een la. Inpakken gaat snel op die manier. Nog een doos koekjes of zo uit de keuken, en ze kan weg. Ze vindt een pak wafeltjes en stopt dat bij de rest. Oma is in de voorkamer; ze begiet de kamerplant of wat daar nog van over is.

Tessa trekt de achterdeur open en loopt naar buiten, met haar reistas over één schouder. Ze wil niemand meer zien.

13 Weg

Uit de keuken komt een heerlijke geur. Dennis weet niet goed wat het is. Het ruikt naar gebraden worstjes, maar toch ook niet helemaal. Al voordat oma hem roept, staat hij beneden.

'Dek je even de tafel?' vraagt oma. Hij wil al protesteren dat Tessa ook kan meehelpen, maar daar komt papa net binnen. Hij heeft nog een pak dossiers onder zijn arm voor vanavond. En de laptop heeft Marijn ook niet meer, ziet Dennis.

'Waar is Tessa?' vraagt papa. Hij gaat onderaan de trap staan en roept naar boven.

Geen reactie. Met twee trappen tegelijk holt hij de trap op, kijkt in Tessa's kamer, in de studeerkamer, in de bad-kamer.

Geen Tessa te zien.

'Weet jij waar Tessa is?' vraagt hij aan Dennis. Die haalt zijn schouders op.

'Was ze niet naar die judoles?' helpt oma hem. 'Ik heb

haar horen weggaan vroeg in de middag en daarna is ze niet meer thuisgekomen.'

'Die judoles duurde maar een uur, tot drie uur. En het is nu halfzeven!' briest papa. 'Wat heeft dat kind nu weer in haar hoofd gehaald, verdorie! Ze weet best dat ze om zes uur thuis moet zijn. In plaats van jou een beetje te helpen, verdwijnt ze gewoon.' Hij beent nijdig naar de voorkamer om over de straat uit te kijken, maar er is geen Tessa te zien.

'Het eten is klaar,' zegt oma.

'Dan heeft ze pech,' zegt papa. Hij schept zijn bord vol.

'Stoofpot met worteltjes en worstjes,' zegt oma trots.

'Het ruikt lekker,' zegt Dennis.

'En het is ook lekker,' zegt papa. Maar hij blijft naar de klok en de achterdeur kijken.

Dennis vergeet Tessa en geniet van het eten.

'Misschien kun je eens naar die vriendin van haar bellen, hoe heet ze ook alweer, waar ik haar spullen ben gaan ophalen,' zegt oma.

'Marte?' zegt papa. 'Ja, dat kan ik doen.'

Terwijl oma en Dennis afruimen en de vaat doen, horen ze papa bellen. Naar Marte. Maar daar is Tessa niet en Marte weet niet waar ze wel kan zijn. Dan belt papa naar een vriend van de basketbalclub, die de judoleraar kent. Om het telefoonnummer van de judoleraar te achterhalen. En naar de judoleraar om te vragen of Tessa er was vanmiddag. Niet dus. Papa's humeur daalt met elk telefoongesprek. Eerst is hij kwaad. Dan hoort Dennis dat hij stilaan ongerust begint te worden. Waar zit Tessa dan toch? Hij stormt de keuken binnen. 'Ik rijd even een rondje door de buurt. Misschien zie ik haar ergens.'

Oma gaat aan de keukentafel zitten. 'Wat denk je, Dennis, is ze weggelopen?'

'Ze wilde niet naar judo,' zegt Dennis. 'Daar was de hele tijd al ruzie over.'

'Misschien wilde ze dat daarstraks zeggen,' zucht oma.

'Had ik maar beter geluisterd!' Ze pakt haar tas en haar autosleutels. 'Ik heb je moeder beloofd dat ik nog even naar het ziekenhuis ga,' zegt ze. 'Ik zal nog maar niets zeggen over Tessa. Anders wordt ze alleen maar ongerust.' Ze is net weg als papa weer binnenstormt.

'Ik bel naar de politie. Het heeft nu lang genoeg geduurd,' zegt papa.

Dennis luistert. 'Mijn dochter, ja,' zegt papa. 'Een persoonsbeschrijving? Euh, gewoon, een meisje van elf. Nee, niet zo groot. Loshangend blond haar, blauwe ogen. Welke kleren?' Hij wendt zich naar Dennis. 'Wat had ze aan vandaag?'

Dennis haalt zijn schouders op. Daar let hij niet op! Toch schiet hem opeens iets te binnen. 'Die groene trui met strepen,' zegt hij.

Papa geeft het door. 'Een jas? Dat weet ik niet. Dennis, kijk eens even aan de kapstok of de jas van Tessa er is. Hij is er. Dus geen jas. Gewoon in jeans en trui. Nee, ik heb geen idee waarheen. Ja, natuurlijk ben ik hier bereikbaar. Oké, ik hoop het ook, dag.'

Papa strijkt door zijn haar en haalt een biertje uit de koelkast. Hij gaat tegenover Dennis aan de keukentafel zitten.

'Wat is er toch met Tessa?' vraagt hij. 'Waarom doet ze zo? Die judoles is toch niet zo vreselijk!'

Dennis tekent met zijn vinger figuren op het tafelblad. Een ster. Een monster. Een raket. 'Ze wil het gewoon niet. Ze houdt niet van zoiets, dat weet je toch wel. Je had er niet over moeten beginnen vanmorgen.'

'Dat was toch maar een grapje! Gewoon een beetje plagen, als dat al niet meer kan. Tessa is soms zo anders dan mama en ik. Dan jullie twee ook. Dat is moeilijk.' Papa masseert zijn nek. 'Ze kan soms uren op haar kamer zitten, zomaar.'

'Niet zomaar,' zegt Dennis, 'ze tekent veel. Dat kan ze echt goed.'

'Dat weet ik wel,' geeft papa toe. 'Maar mama en ik vinden het belangrijk dat jullie veel bij anderen zijn. Dat jullie andere mensen ontmoeten. Een sportclub is daar toch ideaal voor, en het is nog leuk ook.'

'Tessa heeft wel vriendinnen, hoor,' zegt Dennis. 'Ze staat altijd met ze te praten op school. Maar ze is ook graag alleen, denk ik.'

'Dat zal dan wel,' zegt papa. 'Ik vind het een moeilijke gedachte, maar ik zal eraan moeten wennen. Heb je echt geen idee waar ze kan uithangen? Het wordt al donker, en ze is er nog altijd niet. Ze denkt er vast niet aan dat het ook gevaarlijk kan zijn in je eentje.'

'Ik denk dat ze het best wel een tijdje alleen ergens uit-houdt,' zegt Dennis opeens. Hij lacht. 'Ik zou dat heel moeilijk vinden, nu al eigenlijk, met Marijn... Wij zijn bij-na altijd samen. Maar Tessa? Die heeft niemand nodig.'

'Dat klinkt niet opwekkend,' zegt papa. En hij ijsbeert voor de twintigste keer naar het raam aan de voorkant. Tot er een politiewagen stopt. Twee agenten, een man en een vrouw, willen alles over Tessa weten. Dennis vindt het best spannend.

14 Alleen

Er is nu licht aan in de keuken, ziet Tessa. Er loopt een
schim voorbij het raam. Papa. Ze denkt dat ze ook de trui
van Dennis ziet. Een poosje geleden heeft ze papa naar
buiten zien stormen en in zijn auto zien springen. Niet
veel later was hij al terug. Uit zijn gezichtsuitdrukking
kon ze afleiden dat hij wist dat ze weg was. En dat hij het
niet leuk vond. Het was een opluchting dat het nu eindelijk begon. Ze zat hier tenslotte al uren. De wafeltjes
waren al een hele tijd op. Morgen moest ze iets anders
halen om te eten. Brood of zo. Die wafeltjes vulden niet
erg en je werd er wat misselijk van.
Tessa gaat weer in de tuinstoel zitten, die ze heeft open-
geklapt. Het wordt een beetje koud nu, maar ze kan altijd
nog in haar slaapzak kruipen. Stom dat ze haar jas niet
heeft meegenomen. Zou ze dat op een spoor brengen, dat
ze niet zover weg kan zijn? Maar nee hoor, bij haar thuis
is iedereen veel te avontuurlijk. Die denken minstens dat
ze de trein heeft genomen naar een of andere verre uit-

hoek. Niemand komt op het idee dat ze gewoon in hun tuinhuisje is gaan zitten. De perfecte plaats om onder te duiken. Ze kan de boel in de gaten houden zonder zelf gezien te worden. Het is vlakbij. Ze heeft een boek mee om in te lezen, en dat heeft ze ook gedaan vanmiddag. Maar je kunt niet blijven lezen. En het is nu ook te donker. Ze heeft natuurlijk haar zaklamp, maar daar moet ze mee uitkijken. Ze wil niet dat ze haar nu al vinden. Ze is benieuwd hoe ze zullen reageren als ze ontdekken dat ze in het tuinhuisje zit. Papa heeft dat een paar jaar geleden zelf gebouwd. Voor de grasmaaier en de tuinmeubelen. Er staan ook bloempotten, half kapot speelgoed van toen ze nog kleiner waren, en een barbecuestel. Er is maar net plaats voor een uitgeklapte tuinstoel, maar het gaat. Daar komt oma weer. Die is vast naar het ziekenhuis geweest. Wanneer zou Marijn naar huis mogen? Ze voelt zich wel schuldig om mama. Die heeft al zoveel zorgen gehad met Marijn, en nu weer om haar... Maar ze moeten nu eindelijk maar eens begrijpen dat zij anders is en niet van sport houdt en zelf wil kiezen wat ze leuk vindt. Zouden ze ook naar Marte hebben gebeld? Vast wel. Die zal ook wel geschrokken zijn. Dat ruilen was best wel een goed idee. Jammer dat Marte niet meer wilde. Marte is niet zo koppig als zij. Ze heeft meer gekke invallen, dat wel. De ene nog doller dan de andere. Tessa glimlacht als ze eraan denkt. Maar om echt een plan vol te houden, om echt iets af te werken, daar is zij beter in. Tessa houdt ervan om dieper op iets in te gaan, om de dingen door te denken tot je bij iets uitkomt. Tegen die tijd is Marte het meestal al lang beu.

Ik ben alleen, denkt Tessa. Het is leuk als mensen hetzelfde denken als jij. Maar als dat niet kan, is alleen zijn af en toe ook niet erg. Ze denkt aan haar tekeningen, aan haar dwarsfluit. Dat is iets van haar. Niemand kan dat van haar afnemen. Ze wil geen dingen doen waar ze echt niets aan vindt. Dat moeten ze toch kunnen begrijpen?

Tessa probeert zich voor te stellen hoe het zal zijn als ze volwassen is. Ze weet natuurlijk niet echt wat ze dan leuk zal vinden. Misschien houdt ze dan opeens wel van sport, maar ze denkt van niet. Een mens kan veranderen, maar met kleine beetjes tegelijk, zegt oma altijd. Ze denkt opeens aan Marijn. Als het met hem niet goed was afgelopen, zouden ze allemaal veranderd zijn. Ze kan zich moeilijk voorstellen hoe het zou zijn. Gelukkig hoeft dat ook niet.

Opeens ziet ze oma voor het raam van de keuken staan. Tessa zet geschrokken een stap achteruit. Heeft ze haar gezien? Ze houdt haar adem in en blijft stokstijf staan. Dan gaat oma weg. Het blijft stil. Tessa kruipt in haar slaapzak op de tuinstoel. Ze hoopt dat ze snel in slaap valt.

15 Tessa kiest een sport

Een tuinhuisje is geen echt huis. Het grootste verschil is
dat het er veel kouder is dan in een echt huis. Hoewel het
toch al bijna zomer is, is Tessa onwaarschijnlijk vroeg
wakker geworden. Kwart over vijf is het. Er klinkt een oor-
verdovend vogelconcert, alsof ze middenin het bos zit. Ze
wrijft met haar handen over haar armen en trekt de slaapzak op tot tegen haar neus. Ze geeuwt. Ze heeft niet echt
lekker geslapen. Haar eigen bed ligt stukken beter.
Hoe moet het nu verder? Hoe krijgt ze haar ouders duidelijk gemaakt wat ze wil en vooral wat ze niet wil? Zij
hoort er toch ook bij, bij hun gezin, en dus moeten ze
haar maar nemen zoals ze is. Ze kauwt op een pluk haar.
Misschien is dat nog het raarste wat ze geleerd heeft toen
ze ruilde met Marte: je familie kun je niet zomaar ruilen.
Hoe vervelend ze ook zijn, ze horen bij jou en jij bij hen.
Je hebt ze niet te kiezen. Vrienden wel, die kies je
gewoon. Ze denkt erover na. Zou ze ooit bevriend zijn
geraakt met een stel jongens als Dennis en Marijn? Van

die computerfreaks die overal de draak mee steken? Ze denkt van niet. Maar dan zou ze natuurlijk ook niet weten dat Dennis bijvoorbeeld altijd ook voor haar iets meepakt uit de kast als hij iets gaat halen om op te eten voor de tv. Of dat Marijn heel graag Pictionary speelt met haar. Je gezinsleden ken je veel beter dan wie dan ook, met hun lieve en hun vervelende kanten. Zouden ze haar nu ook missen? Ze wou dat ze het wist.

Honger, dat voelt ze duidelijk. Daar moet ze iets aan doen. Ze kijkt voorzichtig door het raam naar de keuken. Niemand te zien natuurlijk. Zouden ze de achterdeur op slot hebben gedaan? Normaal gaat die 's nachts op slot, maar nu zij nog buiten was, heeft papa hem misschien opengelaten. Het is het proberen waard. Rillend stapt ze over het gazon. De dauwdruppels maken haar schoenen nat. Ze probeert de achterdeur. Die geeft mee. Zachtjes stapt ze binnen.

'Goeiemorgen!' zegt oma. Ze zit aan de keukentafel. Tessa weet niet wat ze moet zeggen. Ze blijft staan. 'Doe je schoenen daar maar uit,' zegt oma met een blik op haar doorweekte voeten. Tessa doet het automatisch. 'Ga lekker zitten,' zegt oma. 'Ik maak warme chocolademelk en pannenkoeken.'

Ze doet een schort voor en haalt een kom uit de kast.

Tessa gaat aan tafel zitten met haar handen onder haar kin. Het is goed dat ze niets hoeft te zeggen, dat oma niets vraagt. Ze soest een beetje weg bij de vertrouwde geluiden van een vork in de pan, en borden op tafel.

Dan hoort ze voetstappen op de trap. Papa duwt de keukendeur open. 'Tessa!' roept hij. Hij slaat zijn armen om haar heen en wrijft zijn stoppelige wangen over haar voorhoofd. 'Wat ben ik blij dat je terug bent!'

De eerste pannenkoeken komen uit de pan, en papa en Tessa beginnen te eten. Papa zegt niet veel, hij grijnst alleen af en toe, met zijn mond vol. Tessa zegt helemaal niets. Ze is moe.

'Van denken word je moe,' zegt ze opeens.

Papa lacht. 'Ik heb ook veel nagedacht,' zegt hij, 'ik beloof plechtig dat ik je niet meer over sport aan je kop zal zeuren.'

'Nooit meer?' wil Tessa voor de zekerheid weten.

'Nooit meer,' zegt papa. 'Jij houdt nu eenmaal niet van sport. Punt uit.'

Tessa glimlacht als ze een dikke laag stroop op haar tweede pannenkoek smeert. Daar is Dennis ook. Hij lacht als hij haar ziet.

'Waar was je?' vraagt hij.

Papa en oma kijken haar ook aan.

'Gewoon, in ons tuinhuisje,' zegt Tessa. 'Waarom zou ik verder weggaan?'

Papa kijkt haar verbaasd aan. 'In ons eigen tuinhuisje? Waarom zijn we daar niet gaan kijken?'

'Niet aan gedacht,' mompelt Dennis.

'Ik dacht gisteren nog dat ik daar iets zag bewegen,' vertelt oma. 'Maar mijn ogen zijn niet meer zo goed en ik dacht dat ik me vergist had...'

'Ik had het kunnen weten,' zegt papa. 'Jij bent veel te graag thuis om ver weg te zijn. Hoewel, met dat ruilen ging je ook ergens anders wonen...'

'Dat was voor de goede zaak,' legt Tessa uit.

'Dat weglopen zeker ook,' bromt papa. 'Beloof je me dat je zoiets niet meer doet?'

'Niet als er geen reden voor is,' zegt Tessa slim.

Daar gaat de telefoon. Het is mama. Die is ook al zo vroeg wakker, en ze wist niet eens iets over Tessa. Ze heeft goed nieuws: vanmiddag mag Marijn naar huis. Hij moet voorlopig wel in een rolstoel zitten. Papa belooft het te regelen en hen te komen ophalen.

'Mag ik voor één keer thuisblijven van school?' vraagt Tessa.

Papa kijkt haar even verwonderd aan maar knikt dan.

's Avonds zitten ze allemaal samen beneden. Marijn en Dennis zitten voor de tv. Marijn kan al heel goed rijden met zijn rolstoel, maar hij kan er niet mee naar de keuken, omdat de deur te smal is. Dat is wel onhandig, dus nu eten ze aan de grote tafel in de woonkamer. Marijn praat al veel beter. Je hoort bijna niet meer dat hij langzamer is.

Mama leest de krant en papa bladert in een dossier. Tessa kijkt de reclamepost door. Er zit een brochure van de gemeente bij, met alle sporten die je kunt beoefenen. Ze werpt een snelle blik op papa, of hij het ook heeft gezien. Moet ze de brochure gauw wegwerken? Of meent papa wat hij gezegd heeft: dat ze niets hoeft te doen waar ze geen zin in heeft?

Ze bladert lusteloos door het boekje. De volgorde is alfabetisch: van aerobics tot yoga en zwemmen. Ze wist niet eens dat er zoveel sporten bestonden. Bij de 'S' blijft ze hangen. Dat lijkt haar eerlijk gezegd wel wat. Wat zou papa daarvan vinden? Ze leest hoe vaak ze samenkomen en hoe de club werkt. De contributie is niet veel.

Tessa gaat recht zitten. 'Kijk eens, papa, ik heb een sport gekozen!' zegt ze.

Papa kijkt haar argwanend aan. Ze toont hem de pagina met de 'S'.

'Schermen?' leest papa verwonderd. 'Is dat iets voor jou?'

'Nee, niet schermen,' zegt Tessa. 'Wat daarvoor staat: schaken! Dat wil ik al zolang leren...'

'Denksport!' smaalt Marijn. 'Kun je net zo goed kruiswoordpuzzels gaan oplossen!'

Dennis zwijgt.

'Als Tessa wil leren schaken, is dat haar goed recht,' zegt papa.

Mama knikt. 'Het is een heel oud spel... leuk om dat te leren.'

Oma begint te lachen. Zo hard, dat ze na een poosje een onverbiddelijke hoestbui krijgt.

Tessa brengt haar een glaasje water. Oma heeft tranen in haar ogen, van het lachen en het hoesten. 'Jij bent me er eentje,' zegt ze.

En daar is Tessa het helemaal mee eens.

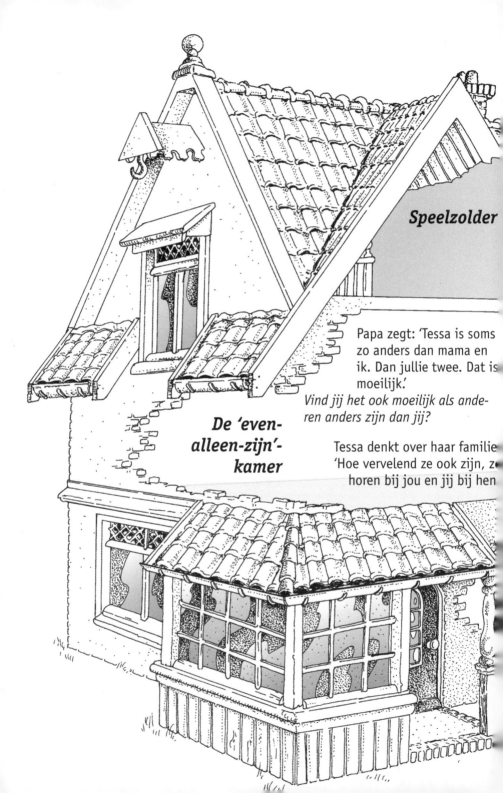

Speelzolder

Papa zegt: 'Tessa is soms zo anders dan mama en ik. Dan jullie twee. Dat is moeilijk.'
Vind jij het ook moeilijk als anderen anders zijn dan jij?

De 'even-alleen-zijn'-kamer

Tessa denkt over haar familie 'Hoe vervelend ze ook zijn, z horen bij jou en jij bij hen

Tessa voelt uiteindelijk
dat ze bij haar eigen familie hoort.
Bedenk eens hoe het verhaal afgelopen
was als Marijn géén ongeluk had gekregen.

Taalkamer

Tessa voelt de woede in haar buik
groeien als een ballon.
Voel jij ook wel eens woede in je buik?

Marte is 'pijnlijk eerlijk' vindt Tessa.
Kan eerlijk zijn pijn doen?

'Ze willen gewoon even het mes
in de wond ronddraaien.'
Wat bedoelt Daan?

eeft Tessa
elijk?

*Kolet Janssen stuurde een e-mail
aan alle lezers.
Lees maar op de volgende bladzijde.*

Van: kolet.janssen@skynet.be
(of mail via: villa@maretak.nl)
Aan: <alle lezers van VillA Alfabet>
Onderwerp: Zullen we ruilen?

Hallo lees-slachtoffer,

Schrijven is vaak een beetje liegen op papier, want je vertelt meestal dingen die niet echt zo gebeurd zijn. Dat vond ik als kind al zo leuk, dat ik niet kon stoppen met verhaaltjes schrijven. En als je iets veel doet, raak je er op de duur aan verslaafd, dus daarom ben ik schrijver geworden.
Veel van mijn verhalen en boeken vertrekken vanuit de vraag 'wat als...?' Wat als mijn stofzuiger een gevaarlijk monster zou worden? Wat als mijn poes zou kunnen praten? Wat als ik morgen opeens niet meer zou weten wie ik ben? Wat als er opeens een diep gat in mijn keukenvloer zou zitten? En wat als twee kinderen van huis zouden ruilen?

Nieuwsgierig begin ik het verhaal op te schrijven en zo kom ik het antwoord te weten! Zoals in dit boek, waar twee kinderen echt van gezin ruilen en je kunt lezen dat er heel wat bij komt kijken. Ik heb zelf namelijk zes kinderen in alle soorten en maten, en af en toe wilde er echt wel eens eentje ruilen... Gelukkig hebben ze het nooit gedaan!

Heb jij wel ooit zoiets gedaan? Of wil je me iets anders vertellen? Ik ben namelijk heel nieuwsgierig, zoals je weet... Mail me dan vlug!

Groetjes,

Kolet Janssen

VillA-vragen

Vragen na hoofdstuk 1, bladzijde 12
1 Weet je nu wat voor meisje Tessa is? Wat vindt ze leuk? En wat niet?
2 Zou Tessa een vriendin van jou kunnen zijn?

Vragen na hoofdstuk 2, bladzijde 17
1 Weet je nu hoe Marte is? Anders dan Tessa hè? Waarom kunnen ze dan toch vriendinnen zijn?
2 Tessa en Marte, je kent ze nu allebei. Wie zou jouw beste vriendin kunnen zijn?

Vragen na hoofdstuk 3, bladzijde 22
1 Dacht je ook niet stiekem toen je over ruilen van familie las: 'Dat zou ik ook wel eens willen'?
2 Weet je dan ook met wie je zou willen ruilen?

Om over na te denken na hoofdstuk 7, bladzijde 46
1 Tessa is écht boos als Daan zegt: 'Tessa woont toch al bij ons'? Snap je die boosheid?
2 'Een tweeling zijn lijkt leuk voor wie het niet is.' Heeft Marte gelijk?

Om over na te denken na hoofdstuk 11, bladzijde 68
1 Het eerste wat Marijn zegt als hij weer bijkomt, is: 'Dennis'. Logisch toch?
2 Marte gaat niet mee naar het ziekenhuis als er goed nieuws over Marijn is. Zou jij wel meegegaan zijn?